L'ARME DE LA BIENVEILLANCE

LETTRES D'UNE NONNE BOUDDHISTE À SON FILS

Ani Lodrö Palmo

L'ARME DE LA BIENVEILLANCE

LETTRES D'UNE NONNE BOUDDHISTE À SON FILS

Guy Saint-Jean
ÉDITEUR

Guy Saint-Jean Éditeur
3440, boul. Industriel
Laval (Québec) Canada H7L 4R9
450 663-1777
info@saint-jeanediteur.com
www.saint-jeanediteur.com

. . . .

Catalogage avant publication de Bibliothèque et Archives nationales du Québec et Bibliothèque et Archives Canada
Palmo, Lodrö, 1948-
L'arme de la bienveillance
ISBN 978-2-89455-730-3
1. Vie spirituelle - Bouddhisme. 2. Tranquillité d'esprit - Aspect religieux - Bouddhisme. I. Titre.
BQ5660.P34 2015   294.3'444   C2014-942631-3

. . . .

Nous reconnaissons l'aide financière du gouvernement du Canada par l'entremise du Fonds du livre du Canada (FLC) ainsi que celle de la SODEC pour nos activités d'édition.

Canadä   ▌♦▌ Patrimoine   Canadian   SODEC
                 canadien   Heritage   Québec ▦▦

Gouvernement du Québec — Programme de crédit d'impôt pour l'édition de livres — Gestion SODEC

© Guy Saint-Jean Éditeur inc. 2015

Révision : Karine Morneau et Linda Nantel
Correction : Émilie Leclerc
Conception de la couverture : Rodéo
Photo de la page couverture : Véronique Boncompagni
Conception graphique et mise en pages : Christiane Séguin

Dépôt légal — Bibliothèque et Archives nationales du Québec, Bibliothèque et Archives Canada, 2015
ISBN : 978-2-89455-730-3
ePub : 978-2-89455-731-0
PDF : 978-2-89455-732-7

Imprimé et relié au Canada
1re impression, février 2015

Guy Saint-Jean Éditeur est membre
de l'Association nationale des éditeurs de livres (ANEL).

TABLE DES MATIÈRES

PRÉFACE

J'ai longtemps rêvé de rencontrer des moines bouddhistes.

Tout m'attirait chez eux : leur humilité, leur simplicité et leur dépouillement.

Leur silence, peut-être…

Je voyais de la noblesse dans leurs robes jaune et marron. J'étais fasciné par la lenteur de leurs pas et la grâce de leurs mouvements. Je m'émerveillais de leur rire, de la paix qui accompagnait leur sourire et de leurs gestes de compassion à l'égard d'autrui.

Ils semblaient avoir apprivoisé la souffrance et découvert la sérénité. Il suffisait que je voie l'une de ces têtes rasées à la télévision ou lors d'un voyage pour que je sois immédiatement touché, voire bouleversé.

Je les auréolais d'un mystère qui m'attirait terriblement.

Mais, chaque fois qu'il m'arrivait d'en croiser un, je n'osais pas l'aborder. Je demeurais à distance, le contemplant comme on contemple une œuvre d'art. Je figeais, aussi curieux qu'un enfant qui explore le visage d'un étranger. Ces êtres humains m'apparaissaient inaccessibles, hors du temps et hors du monde.

Alors que j'aurais souhaité m'asseoir en leur présence, écouter leurs enseignements et m'imprégner de leur sagesse, je n'osais pas établir le contact. Mon élan vers leur savoir était retenu par la crainte de les déranger, d'être intrusif ou de perturber quelque chose de sacré. J'avais soif de comprendre leur parcours vers la quiétude, mais, dès que je m'approchais de l'un d'entre eux, ma voix s'éteignait. Parvenu à sa hauteur, je ne savais plus quoi lui dire. Il m'intimidait. Ce n'était pas une preuve de respect ; j'avais peur de paraître déplacé ou un peu idiot. Et si j'avais l'impression de le voir saisir mon regard émerveillé, j'avais envie de disparaître et de m'effacer.

Je ne connaissais rien au bouddhisme – ou à peu près rien. J'avais bien parcouru quelques écrits, mais, malgré un certain plaisir intellectuel, je demeurais habité par le doute. Je reconnaissais bien sûr les bienfaits de la méditation – puisque je la pratiquais –, mais je n'avais pas encore saisi la profonde signification de cet « exercice ». L'écart demeurait encore grand, à mes yeux, entre des pratiques vécues dans des lieux fermés sur eux-mêmes – les monastères – et ces mêmes pratiques appliquées dans l'univers agité où j'essayais, tant bien que mal, de vivre ma vie.

J'avais pourtant d'innombrables questions : ces humains avaient-ils réellement échappé à la souffrance ? Si oui, comment s'y étaient-ils pris ? Était-il possible d'y parvenir en dehors d'un monastère ? Fallait-il se retirer du monde pour trouver la paix d'esprit ? Comment se comporterait un moine bouddhiste dans notre quotidien surchargé, nos rythmes effrénés et nos vies de fou ? Pouvions-nous, en tant que citoyens de la modernité, adapter leurs enseignements à nos sociétés faites de compétition et de vitesse ?

J'ai un jour eu la chance de me rendre au Népal et de séjourner au monastère de Shechen. J'ai eu l'immense privilège d'écouter les enseignements de membres de la communauté monastique. Ces hommes humbles partageaient avec une grande générosité leur savoir et leur regard aimant sur la vie. J'ai même pu les interroger, en bégayant ou presque, sur des notions aussi complexes que le désir, l'amour ou la mort. Ils répondaient toujours avec patience et courtoisie. Leurs réponses étaient inspirantes et utiles. Mais malgré la proximité physique – nous étions seulement une vingtaine en leur compagnie – et l'extrême qualité de leur présence, je demeurais intimidé. Ils appartenaient à un autre univers que le mien. Mon questionnement sur l'application de leurs enseignements à une vie laïque ne s'était pas dissipé.

Puis, par l'entremise d'un ami, j'ai fait la rencontre d'une nonne, ici même à Montréal : Ani Lodrö. Déjà, c'était une surprise : une femme, revêtue des robes jaune et marron, vivait au cœur de la communauté, de la cité. Elle devait faire face aux aléas du quotidien : gagner sa vie, faire ses emplettes, entretenir son appartement, etc. Elle pourrait peut-être répondre à mes interrogations.

Dès notre premier entretien, Ani Lodrö m'a parlé du « monastère dans notre cœur ». L'image était forte et vibrante : nous portions en nous-mêmes ce symbole universel de tranquillité. Nul besoin de se retirer sur une montagne pour trouver la paix ; nous pouvions rejoindre ce lieu à même notre être, et y vivre. La méditation, dans la bouche d'Ani, devenait un temps d'arrêt pour découvrir les pièges que l'activité mentale fabrique : toutes ces histoires que nous nous racontons constamment à notre propre sujet – les « je ne suis pas chanceux », « je n'ai pas réussi », « je n'y arriverai jamais » et autres scénarios catastrophe du même genre. Ani disait que méditer, c'est en quelque sorte observer le « ronron » psychique qui nous fait souffrir inutilement et qui nous empêche de réaliser notre potentiel de sagesse et de compassion, ce qu'elle appelait notre « bonté fondamentale ».

Elle me parlait comme on parle à un ami ! Et nous venions à peine de nous rencontrer… Il s'agissait de l'un de ces moments précieux où le mot « confiance » n'est plus nécessaire pour décrire ce qui se vit ; tout est facile, et cela suffit.

Elle partageait, avec une transparence et une franchise admirables, les difficultés qu'elle avait traversées au cours de son existence et celles qu'elle traversait encore chaque jour. Elle n'avait aucun rapport avec les êtres éthérés ou désincarnés que j'avais imaginés. Elle racontait ses démons, ses travers et ses déboires avec un humour à la fois décapant et apaisant. Les robes jaune et marron ne constituaient plus une barrière, mais un prétexte pour explorer ensemble la souffrance humaine – surtout celle qu'on s'inflige à soi-même sans s'en rendre compte.

Il ne subsistait entre nous aucune impression de distance, de différence ou de séparation ; elle me faisait sentir que nous étions profondément connectés l'un à l'autre, comme le sont tous les humains entre eux, et à tout ce qui vit. Elle me permettait, avec doigté, de réaliser que le regard que je portais sur les moines n'était qu'une construction de mon esprit.

Par sa seule manière de se livrer, elle défaisait tous les mythes.

En tant que médecin, j'ai consacré ma vie professionnelle (et personnelle, je dois le dire) à explorer les causes de la souffrance humaine. Et, bien humblement, à chercher des façons de la soulager. Force m'a été de constater que, peu importe la voie empruntée, « tous les chemins mènent à l'ego ». En décrivant sans honte ses peurs, ses inquiétudes et même ses sautes d'humeur, Ani Lodrö me montrait comment, partout sur la planète, des hommes et des femmes apprennent qu'on peut vivre autrement.

Le livre que vous avez entre les mains témoigne de ce partage. Il retrace le cheminement de cette femme qui, en s'adressant à son fils, nous fait voir ce qu'est la seule et véritable liberté : celle d'un esprit qui s'est affranchi de la peur de ne pas exister et de ne pas être quelqu'un.

La parole d'Ani Lodrö porte en elle des siècles de recherches à propos de la nature de l'esprit humain et de son fonctionnement. Elle montre, avec amour et tendresse, l'essentiel de ce que ces recherches ont apporté à l'humanité : des moyens de déjouer les mensonges de l'ego et d'avoir accès à l'amour véritable. Elle nous prend par la main et nous emmène là où réside la seule issue pour qu'apparaisse enfin la paix sur cette planète : le « monastère dans notre cœur ».

Merci, Ani Lodrö !

Docteur Serge Marquis

Gracieuseté de Patrick Beauduin

Une petite communauté
monastique
au bout du monde

Au Québec, et dans les pays de l'Ouest en général, le mot « monastère » évoque tout de suite l'image d'un cloître chrétien relativement austère où moines et moniales vivent en silence et complètement retirés du monde, dans leurs couvents respectifs bien sûr, afin de consacrer une bonne partie de leur temps à la prière. À l'abbaye de Gampo, le monastère bouddhiste où j'ai vécu, les choses sont assez différentes. Pour bien vous situer et éviter tout malentendu, je crois qu'une brève présentation s'impose.

L'abbaye de Gampo est située au Cap-Breton, à quelques kilomètres de Pleasant Bay, un petit village qui compte tout au plus 200 habitants durant la belle saison. L'endroit est donc complètement isolé. En hiver, par mauvais temps, on y est complètement coincé. Ces jours-là, il m'arrivait parfois de penser : « Ma belle, si tu as une crise cardiaque ici, tu es fichue ! »

En 1984, lorsque Chögyam Trungpa, le fondateur de la tradition Shambhala, a visité les lieux avant de donner son accord à l'établissement du monastère, il a dit en riant : « Je n'ai qu'une seule réticence... C'est si beau que les moines vont passer leur temps à léviter ! » Je n'ai jamais vu personne léviter, mais je me suis retrouvée souvent muette et tranquille devant la splendeur du lieu. Pendant mes années au monastère, la nature a été une perpétuelle source d'émerveillement et de guérison pour la fille de la ville que j'étais. Dans les moments difficiles, j'ai certainement trouvé dans la beauté de mon environnement un apaisement et un encouragement à persévérer. Dans les moments heureux, j'y ai vu une bonne raison d'apprécier la richesse du monde et ma propre vie. Imaginez un peu… Les bâtiments principaux sont situés sur une falaise assez élevée. Pas très loin devant, la mer et le ciel à l'infini. Derrière, les montagnes et les vastes forêts qui prennent la couleur des saisons, chacune avec la qualité d'enchantement qui lui est propre.

En été, du balcon de l'abbaye, on peut voir les baleines. Les orignaux ne craignent pas de brouter tout près et, jusqu'à récemment, une famille de renards avait l'habitude de venir manger dans nos mains. De gros corbeaux noirs hantent le voisinage et il arrive que l'on puisse voir un aigle à tête blanche voler haut dans le ciel. De nombreux écureuils mènent une inlassable guerre de territoire en poussant leurs petits cris stridents. Un jour de printemps, alors que j'étais en retraite dans un ermitage proche de l'abbaye, j'ai ouvert ma porte pour trouver un ours en train d'explorer avec une concentration exemplaire le sac d'ordures que j'avais malencontreusement laissé sur la véranda!

Une petite communauté non cloîtrée d'une dizaine de moines et de nonnes réside en permanence à l'abbaye. La mixité des genres m'a tout de suite plu. J'aime la compagnie des hommes. J'aime aussi que les énergies féminine et masculine soient toutes deux présentes dans une communauté. J'aurais sans doute eu de la difficulté à vivre dans un environnement exclusivement féminin. La vie des moines et des nonnes s'organise autour de trois grandes activités : la pratique de la méditation, l'étude de la sagesse bouddhiste et shambhalienne, et le service à la communauté qui peut prendre diverses formes, de la lessive à l'enseignement.

Le silence tient une place importante dans la vie quotidienne, mais il y a de nombreux moments où l'on peut s'exercer à l'art important de la conversation. En été, il arrive même que l'on fasse une «grosse sortie» à Pleasant Bay pour acheter une crème glacée. Aussi, à chaque 1er juillet, les résidents du monastère jouent une partie de balle-molle au village avec les pompiers volontaires. En 20 ans, ils n'ont remporté qu'une seule victoire, et cela même quand les pompiers jouent avec leurs bottes !

L'abbaye est également ouverte aux laïcs bouddhistes – hommes et femmes, jeunes et moins jeunes. Ils séjournent au monastère de six mois à deux ans en moyenne. Ils vivent, pratiquent et travaillent avec les moines et les nonnes. Durant leur séjour, il leur est possible, s'ils le souhaitent, de prendre des vœux temporaires et de porter les robes monastiques.

L'été, l'abbaye offre des retraites ouvertes au grand public et, parfois, un programme de quatre semaines destiné aux jeunes de 18 à 25 ans qui veulent faire une brève expérience de la vie monastique. Comme dans la plupart des monastères, c'est aussi la saison durant laquelle les touristes affluent.

Depuis 1990, des méditants qui ont l'entraînement requis ont la possibilité de faire une retraite traditionnelle de trois ans, qu'ils aient pris les vœux monastiques ou non. Cette retraite a lieu dans un bâtiment réservé à cette fin, dont le nom, Söpa

Chöling ou Forteresse de la patience, est pour le moins évocateur! L'abbaye de Gampo fait partie intégrante de Shambhala International, une organisation par ailleurs essentiellement laïque.

Shambhala affirme sans hésitation que la nature fondamentale de tout être humain est bonté, chaleur et intelligence. Cette nature peut être dévoilée grâce à la méditation et à l'intégration personnelle de profonds enseignements de sagesse. Elle peut s'épanouir dans notre vie quotidienne – qu'on soit laïc ou moine – pour rayonner dans notre famille, notre cercle d'amis, notre communauté et enfin dans la société tout entière. En ce sens, Shambhala est un mouvement de transformation à la fois spirituel et social.

Shambhala International est sous la direction spirituelle du Sakyong Mipham Rinpoché qui a demandé à Ani Pema Chödron, nonne et auteure bien connue, d'être l'*acharya* ou enseignante principale de l'abbaye. Elle y réside donc pour des périodes de plus ou moins longue durée, en particulier durant la *Retraite du temps des pluies* qui a lieu en hiver et qui dure sept semaines.

L'abbé du monastère, le Vénérable Thrangu Rinpoché, ne réside pas à l'abbaye mais, jusqu'à tout récemment, il y séjournait quelques jours chaque année malgré un agenda chargé. Ses enseignements et ses directives ont contribué à modeler et à inspirer la vie des moines et des nonnes.

La direction administrative du monastère est assumée par des laïcs, en général des pratiquants de longue date assistés par un conseil monastique qui regroupe tous les moines et nonnes ayant pris des vœux à vie. C'est dans cette petite communauté perdue au bout du monde que j'ai atterri à l'âge de 50 ans. Pur délire ou grande sagesse, avant de débarquer avec armes et bagages, je n'y avais jamais mis les pieds. J'arrivais toute fraîche, complètement ignorante et le cœur empli d'espoir…

Le monastère dans notre cœur

« Il existe un moine en chacun de nous. Nous voulons vivre cette vie de silence et de perfection. Quand nous perdons contact avec cette aspiration, nous souffrons beaucoup. »

– Révérend Norman Fisher

Avez-vous déjà pensé à vous faire moine ou nonne ? Je parie que non.

Chose certaine, la vocation monastique, voire *l'entrée en religion* comme on disait autrefois, n'apparaît plus comme un choix de vie intéressant ni même valide. En effet, elle est souvent perçue comme une folie, une négation inutile et insensée des simples joies humaines, ou encore comme une fuite du monde avec toutes les responsabilités et les contraintes que la vie moderne impose.

Étrangement, en parallèle avec cette désaffection, au Québec comme en Europe, les hôtelleries monastiques sont très fréquentées. Elles accueillent généreusement des laïcs souvent fatigués, stressés, en mal de silence et de solitude.

En mal de sens aussi.

De plus, certains longs métrages qui évoquent la vie monastique chrétienne ont connu un succès étonnant. Je pense au film *Le grand silence* qui illustre la vie austère et profonde des chartreux et à *Des hommes et des dieux* qui raconte de façon bouleversante comment un engagement indéfectible envers la paix et la fraternité humaine peut dicter des choix incompréhensibles au commun des mortels.

Aussi, parmi les leaders spirituels de notre temps les plus lus et les plus respectés, on compte de nombreux moines et nonnes bouddhistes dont le Dalaï-Lama, Thich Nhat Hanh, Ajahn Chah, Matthieu Ricard et Ani Pema Chödron. On aime ou on n'aime pas, mais on ne reste pas indifférent devant une façon de vivre tout à fait à contre-courant de la culture dominante en ce début du 21e siècle.

Certes, les monastères se vident. Toutefois, la vie et la culture monastiques intéressent toujours et même fascinent. Il semble que plus le désarroi, l'anxiété, l'agression, l'ambition, la confusion et la solitude des humains de notre siècle augmentent, plus ces îlots de calme et de silence exercent un puissant pouvoir d'attraction. Consciemment ou non, nous sommes touchés par la folle aventure de ces femmes et de ces hommes dont les modestes habits nous rappellent silencieusement qu'il y a quelque chose de si important et de si précieux dans l'expérience humaine que cela vaut la peine d'y consacrer toute sa vie.

Partir

Le Révérend Norman Fisher, un prêtre zen, disait : « Il existe un moine en chacun de nous. Nous voulons vivre cette vie de silence et de perfection. Quand nous perdons contact avec cette aspiration, nous souffrons beaucoup. » J'ai tendance à le croire parce que cette perte de contact, je l'ai vécue. J'ai alors touché jusqu'à la nausée l'ennui, le désarroi et la souffrance qu'elle fait naître.

En l'an 2000, j'avais, à 50 ans, ce qu'on peut appeler « une bonne vie ». Je venais d'emménager dans un appartement de rêve. Mon fils Xavier était de retour au pays après une longue tournée comme trapéziste au Cirque du Soleil. J'avais un cercle d'amis fidèles qui m'apportaient le confort affectif dont j'avais besoin. Je n'aimais pas mon travail au Conseil régional de développement de l'Île de Montréal*, mais je gagnais un bon salaire et mes compétences étaient reconnues.

---

* Devenu depuis le Conseil régional des élus de l'Île de Montréal.

Sur le plan spirituel, au terme d'une quête de plusieurs années, j'étais devenue bouddhiste, séduite par la profondeur de cette tradition, sa proclamation de la bonté, de la dignité et de l'intelligence humaines, son approche non dogmatique ainsi que les moyens simples et concrets qu'elle offre pour se libérer de la confusion et de la souffrance. J'avais aussi trouvé une communauté au sein de laquelle je me sentais à l'aise, le Centre de méditation Shambhala à Montréal. Toutefois, mes réalisations spirituelles me semblaient bien minces. Je ne pouvais blâmer que moi-même, car je faisais les choses à moitié et cela me rendait misérable. Pour tout dire, j'avais le sentiment d'être une fraude ambulante. Il m'arrivait trop souvent d'avoir honte de ma conduite. L'attention au moment présent, le calme mental, la douceur et la compassion, toutes ces belles qualités que l'on associe habituellement au bouddhisme s'envolaient bien loin quand je chaussais les souliers d'une professionnelle hyperactive, ambitieuse, performante, parfois manipulatrice et entêtée.

Je sentais donc un pressant besoin de m'éloigner – ne serait-ce que pour un temps – de la vie trépidante et *in-signifiante* qui était la mienne. J'aspirais de tout mon cœur à trouver la paix de l'esprit et un sens à ma vie.

La vie monastique me semblait alors la seule façon de réaliser ces buts. J'ai donc tout quitté – mon fils, mes amis, mon travail, mon bel appartement, mon confort, ainsi qu'un tas de petites et grandes choses auxquelles j'étais très attachée – pour me rendre à l'abbaye de Gampo où j'ai vécu pendant neuf ans sous la direction spirituelle du Sakyong Mipham Rinpoché et d'Ani Pema Chödron. Ces années comptent certainement

parmi les plus importantes de ma vie et je ne regrette aucunement le choix que j'ai fait alors.

Une question d'orientation

Faut-il en déduire qu'il est impossible de goûter, ailleurs que
dans un couvent, la paix, la liberté et le contentement auxquels nous aspirons ? Pour vivre une spiritualité authentique,
devons-nous inévitablement prendre les vœux monastiques ou
nous retirer du monde ? Bien sûr que non. Si c'était le cas,
l'humanité serait dans une impasse.

Je souhaite de tout cœur que la tradition monastique demeure
bien vivante dans nos sociétés, et si ce livre inspire quelques
lecteurs à prendre les vœux dans la tradition qui est la leur,
j'en serai ravie. Toutefois, ce n'est pas la vocation que l'on
choisit ou les vêtements que l'on porte qui font de nous une
personne engagée sur une voie spirituelle de façon authentique. C'est d'abord et avant tout l'orientation que l'on donne à
sa vie.

La tradition du bouddhisme de Shambhala enseigne que tous
les êtres humains possèdent «la bonté fondamentale», un
immense potentiel inné de sagesse, d'amour et de compassion.
Lorsque l'orientation de notre vie consiste à dévoiler et à
exprimer ce potentiel, chaque moment, qu'il soit difficile ou
non, nous offre exactement le matériau dont nous avons
besoin pour réaliser notre but. Ainsi, le monde peut devenir
notre monastère… et la vie une belle aventure. On y reviendra !

L'arme de la bienveillance

Comment des gens pressés peuvent-ils s'inspirer de la tradition monastique pour faire de chaque jour une opportunité de pratiquer l'art d'être humain, en développant une bienveillance inconditionnelle envers soi-même et les autres ?

Comment transposer dans nos vies mouvementées certains aspects essentiels de la vie monastique comme l'engagement, la simplicité, le silence et la solitude, la méditation, le travail assidu de transformation intérieure, le souci de la communauté et le service aux autres, le courage devant l'adversité, l'attention à tous les détails de la vie quotidienne, l'humour et un sens de célébration ?

Comment faire pour que « le monastère soit dans notre cœur » tout en vivant dans le monde d'aujourd'hui, avec des amours, une famille, des amis, un travail, des comptes à payer, de nombreuses responsabilités, des loisirs, des projets et des obligations de toutes sortes ?

Dans les pages qui suivent, je propose humblement des pistes de réponse.

Ce projet de livre est né il y a quelques années, durant mon séjour à l'abbaye. Chaque jour apportait son lot d'expériences, de découvertes et d'intuitions. Je rêvais de pouvoir partager tout cela avec mon fils qui avait eu la générosité de me laisser partir, et cela à une époque de sa vie où les choses étaient difficiles pour lui. L'éloignement ne facilitait pas les discussions profondes entre nous. Nos conversations téléphoniques hebdomadaires me laissaient toujours un peu sur ma faim. J'ai donc commencé à lui écrire de longues lettres auxquelles il pouvait me répondre de vive voix s'il le désirait. J'espérais que nos échanges lui permettent de trouver le monastère dans son cœur. Et de le préserver.

Cette conversation a été interrompue par une retraite de quelques mois, puis par mon retour à Montréal. Avec *L'arme de la bienveillance,* je reprends ce projet de dialogue. Bien que mon fils soit maintenant le propriétaire de mon logement et mon voisin, la vie nous emporte et les occasions d'avoir de bonnes conversations sont rares. L'écriture est donc toujours de mise. Elle l'est d'autant plus que j'écris maintenant avec le souhait que notre conversation soit entendue, qu'elle suscite la réflexion et nourrisse un tant soit peu l'intention de ceux et celles qui désirent répondre à la promesse de plénitude qu'offre une vie humaine.

Ce livre, c'est donc une suite de lettres à mon fils. J'y présente une vision de la spiritualité qui se situe au-delà de toute adhésion à une tradition religieuse particulière. Il existe une nette distinction entre religion et spiritualité. On peut fort probablement se dispenser de religion (c'est de plus en plus le cas aujourd'hui), mais je crois sincèrement qu'il n'en va pas de même avec la spiritualité.

C'est avec notre esprit que nous sentons et ressentons, que nous désirons, pensons, rêvons, communiquons, inventons, créons et façonnons notre petit monde personnel, mais aussi la société dans laquelle nous vivons. Il est donc très important d'y porter une grande attention et de s'en faire un allié plutôt que d'en être le jouet! Faire de la place à la spiritualité dans sa vie, c'est entre autres apprendre à connaître cet esprit sous toutes ses coutures… ses zones d'ombre occasionnelles, mais aussi sa nature profonde — toujours présente et accessible — qui est calme, intelligence, ouverture et tendresse inconditionnels.

Notre malaise individuel et collectif n'est certainement pas étranger au peu d'importance que nous accordons à la connaissance de nous-mêmes et au dévoilement de ces nobles qualités de l'esprit. Or, il y a une certaine urgence à rectifier le tir. André Malraux aurait un jour dit du 21e siècle qu'« il serait spirituel ou qu'il ne serait pas ». Il n'en tient qu'à nous pour que ce propos ne devienne pas une prophétie. Et pour moi, cela veut dire qu'il est plus que jamais nécessaire d'affirmer notre dignité comme être humain. Il est plus que jamais essentiel de nourrir en nous ces qualités éveillées de l'esprit, dont la lucidité et le souci de l'autre, qui seules pourront permettre le bien-vivre ensemble — à sept milliards ! — sur cette fragile planète, la seule que nous ayons.

L'arme de la bienveillance n'est donc pas un livre théorique ou abstrait. J'y propose une réflexion et des outils concrets pour que chaque jour devienne un voyage à la découverte du meilleur de nous-mêmes. Pour ce faire, je puise abondamment dans la tradition de sagesse du bouddhisme Shambhala qui nous invite à vivre chaque instant avec attention, ouverture, douceur, confiance et courage. Cela peut paraître une grosse commande mais, comme nous le verrons, c'est en fait le secret d'une vie riche, heureuse et pourvue de sens.

L'arme de la bienveillance relate enfin quelques aspects de ma vie dans un des premiers monastères bouddhistes au Canada, afin d'illustrer certaines des précieuses leçons qu'elle m'a apprises, dont celle-ci qui est le fondement de tout chemin spirituel :

Ultimement, il n'y a rien à faire et nulle part où aller. Pourtant, si l'on veut pouvoir apprécier toutes les situations très ordinaires de notre vie et faire en sorte qu'elles deviennent non seulement un terreau d'éveil et une opportunité de contribuer à créer une société plus juste, fondée sur la reconnaissance du principe de la bonté fondamentale de tous les êtres humains, il importe d'avoir «un plan pour sa vie et un plan pour chaque jour[*]».

---

[*] L'expression est du Sakyong Mipham Rinpoché dans son livre *Régnez sur votre monde,* Paris, Table ronde, 2007.

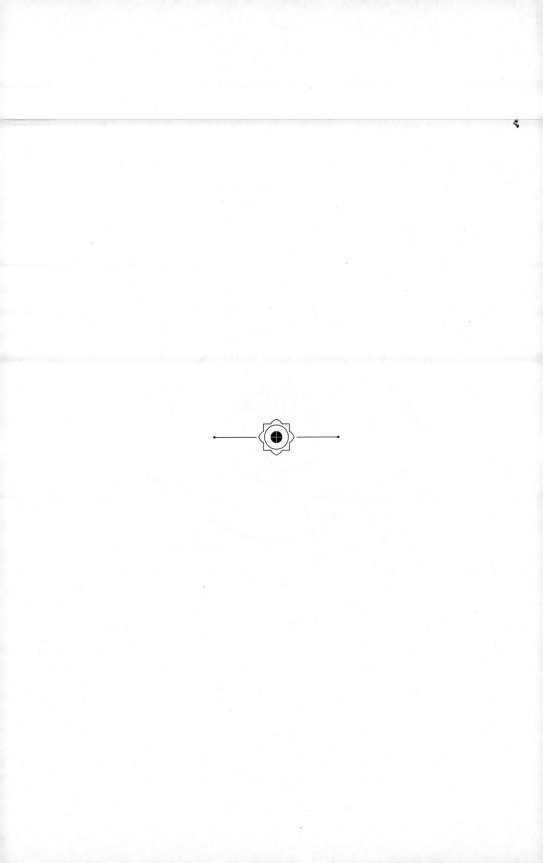

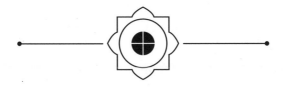

Un plan pour la vie, un plan pour chaque jour

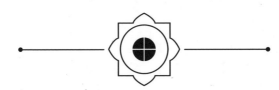

Un plan pour la vie

« C'est beau, c'est grand la mort.
C'est plein de vie dedans. »

– Félix Leclerc

Mon cher fils,

Pendant toutes mes années à l'abbaye, je me suis souvent demandé si les raisons de mon choix étaient claires pour toi. Quand je t'ai parlé de mon désir de prendre les vœux monastiques, tu m'as dit : « Au fond, j'ai toujours su que tu partirais un jour. » J'ai présumé alors que tu comprenais et je ne t'ai pas posé de questions. J'aurais dû, car tu me faisais là un aveu bouleversant. Je découvrais en effet que, sans jamais m'en parler, tu avais deviné ma longue quête d'un plan pour la vie. Tu avais saisi intuitivement mon insatisfaction profonde et mon désir de comprendre le sens des choses, cette denrée précieuse dont l'absence alourdit le cœur et ternit l'existence.

Alors que j'amorce cette conversation avec toi dont je rêve depuis si longtemps, je pense donc qu'il faut commencer par examiner cette grande question du sens profond de l'existence humaine.

Une absence totale de perspective

En ce début de siècle, tellement de vies semblent dépourvues de toute signification. Quand j'ai annoncé à mon entourage ma décision de tout quitter et de me faire nonne, j'ai été surprise de constater à quel point plusieurs de mes collègues et amis enviaient non seulement mon audace, mais aussi et surtout le fait que ma vie semblait enfin avoir un sens, une direction. Ils n'avaient toutefois aucune envie de m'imiter !

Tu te rappelles, avant mon départ, j'étais rarement à la maison. Les invitations pleuvaient : durant les quelques semaines qui ont précédé mon entrée au monastère, j'ai rencontré des dizaines de personnes. Tout le monde voulait connaître les raisons de ce choix pour le moins inusité.

La fascination de mon entourage était d'autant plus grande que ce que l'on connaissait de moi ne laissait pas présager cette douce folie. En effet, comment comprendre qu'«une petite boule de désirs ardents» (comme me surnommait affectueusement mon ami Gilles) en était venue à choisir l'apparente austérité de la vie monastique?

Fait intéressant, parmi tous les curieux, rares étaient ceux qui étaient vraiment satisfaits de leur vie. Beaucoup n'aimaient pas leur travail ou leurs conditions de travail. Ils se plaignaient entre autres du rythme effréné, de la pression, de politiques administratives absurdes ou bien des tensions liées à l'obligation de performance et à la compétition. Plusieurs avaient des projets secrets auxquels ils n'osaient pas se consacrer par peur de l'inconnu ou par insécurité financière. Enfin, beaucoup avaient le sentiment de «faire du temps» avant la prochaine fin de semaine, les prochaines vacances, le prochain voyage ou la retraite. Les plus malheureux étaient ceux qui n'avaient absolument rien dans leur vie qui les fasse vibrer.

J'observais un sentiment presque général de perte de sens et une absence totale de perspective. Qu'est-ce qu'un être humain? Sommes-nous fondamentalement bons ou naturellement égoïstes et stupides? Pourquoi vivons-nous? Est-il possible d'être vraiment heureux, content, malgré les obstacles et les difficultés? Y a-t-il autre chose dans une vie humaine que métro-boulot-dodo, un peu de plaisir, et puis la mort? Personne ne semblait réfléchir à ces questions, ou même vouloir le faire sérieusement.

« *C'est beau, c'est grand la mort.* »

L'insatisfaction profonde dont j'étais témoin m'attristait. Elle me rappelait cette longue période de ma vie où, chaque soir, je faisais une croix sur la date du jour dans mon agenda, contente qu'il en reste un de moins avant la fin. Tu ne t'en souviens peut-être pas, car tu étais bien jeune, mais j'ai vécu quelques années avec l'esprit et le cœur souvent alourdis par un désespoir subtil que je t'ai parfois imposé, à mon grand regret.

L'état d'esprit de mon entourage me rappelait aussi les derniers jours de ton grand-père Adrien que tu as peu connu, car je le visitais presque toujours sans toi. Une semaine avant sa mort, je suis allée chez lui dans la petite chambre qu'il louait à Cartierville et où il vivait seul. Je suis restée près de lui tout un après-midi à le regarder somnoler lorsque l'inconfort lui laissait un peu de répit. Avant de partir, je me suis assise sur son lit, je lui ai pris la main et je lui ai dit en pleurant : « Papa, j'ai tellement de peine de vous voir souffrir. Je ne sais pas quoi faire. » Il s'est tourné vers moi et il est resté un moment silencieux. Puis, il m'a répondu : « Y a rien à faire ma fille. C'est la vie, la chienne de vie. Tout ça pour en arriver là ! »

~ ~ ~

L'insatisfaction profonde dont j'étais témoin m'attristait.

~ ~ ~

Ce furent ses dernières paroles pour moi. Le lendemain, il entrait à l'hôpital, et la morphine l'empêcherait de communiquer vraiment par la suite. Le cancer du poumon allait l'emporter quelques jours plus tard. À l'époque, tu n'as pas vraiment compris pourquoi cette mort prévisible me chavirait autant mais sache que, plus de vingt ans après, je me rappelle encore ses grands yeux bleus désespérés et l'immense chagrin que j'ai ressenti à l'idée qu'il allait mourir dans l'amertume, sans avoir compris pourquoi il avait vécu. Ma peine était d'autant plus grande que je n'avais pas su lui apporter le moindre réconfort.

Félix Leclerc a écrit : « C'est beau, c'est grand la mort. C'est plein de vie dedans. » La vie s'exprime parfois comme un renouveau ou un changement de cap. Or, le décès d'Adrien est certainement à l'origine d'une réorientation radicale de mon existence, et la décision que j'ai prise alors de tout faire pour trouver un sens à mes jours est un bel exemple de « ce plein de vie » dans la mort dont parle Félix.

Bien que j'aie été officiellement bouddhiste depuis deux ou trois ans, c'est seulement à ce moment-là que j'ai commencé à pratiquer la méditation assidûment et à fréquenter le Centre Shambhala plus régulièrement. Sept ans plus tard, je partais pour le monastère.

Quel est ton plan pour la vie ?

Depuis mon retour à Montréal, en 2009, je constate que les choses n'ont pas beaucoup changé autour de moi. Si tu es un peu curieux, tu peux le constater par toi-même : le désarroi lié à la perte de sens est toujours présent et il affecte insidieusement différents aspects de nos vies et de la société.

Quand j'enseigne, je demande souvent aux gens : « Avez-vous un plan pour la vie ? » Le plus souvent, la question surprend et les visages deviennent perplexes. Plusieurs avouent n'avoir jamais vraiment réfléchi à cela. La plupart du temps, ceux qui me donnent une réponse nomment différentes choses qui leur paraissent importantes comme une relation amoureuse signi-ficative, la famille, la carrière, l'épanouissement personnel, un loisir passionnant et des projets excitants à court ou à long terme. Toutes ces choses aident certainement à vivre, mais aucune ne constitue un plan pour la vie : les enfants partent, les amours ont une fin, on peut perdre son travail, les loisirs ne nous occupent pas à temps plein et on finit même par s'en lasser, nos plus beaux projets peuvent s'effon-drer comme un château de sable. Enfin, la maladie ou les maux de la vieillesse finissent parfois par rendre tout projet impossible !

~ ~ ~

Tu es toujours le patron de ta vie spirituelle.

~ ~ ~

À mes yeux, un plan pour la vie porteur de sens est une sorte de fil conducteur qui demeure tout au long de nos jours, et cela quelles que soient les circonstances de nos vies. Ainsi, si tu places l'éveil à ta véritable nature, la bonté fondamentale, au centre de ta vie, qu'il fasse beau ou qu'il pleuve n'a pas d'importance. Que tu sois débordé de travail ou étendu sur la plage ne fait pas de différence. Que tu sois malade ou en bonne santé ne change rien.

En effet, tu es toujours le patron de ta vie spirituelle. Peu importe où tu vis et quoi que tu fasses, chaque moment de ta vie est une occasion d'oser être qui tu es en manifestant le meilleur de toi-même, soit l'intelligence, la sagesse et la com-passion à la source de ton être.

Si tu en doutes, examine une de tes journées ordinaires pour voir toutes les opportunités qu'elle t'offre d'être un peu plus présent à toi-même et aux autres, un peu plus généreux, un peu plus patient, un peu plus curieux de la nature des choses et un peu plus habile à créer autour de toi un environnement sain, fondé sur le respect, l'appréciation et le souci de l'harmonie.

Ainsi, tu peux voir un repas offert à tes amis comme une simple distraction. En réalité, c'est une occasion de ressentir la joie de faire plaisir, d'apprécier formes, odeurs, saveurs et textures. C'est aussi une façon d'aiguiser curiosité et respect envers les points de vue des autres ou d'exercer ton empathie face aux difficultés qu'ils te confient…

Ton travail est certainement le moyen de gagner ta vie mais, que tu l'aimes ou non, il t'offre de nombreuses possibilités de rendre service, d'épauler tes collègues, de découvrir tes zones d'ombre et d'apprendre à apprivoiser des émotions difficiles. Quand tu y penses, de ce point de vue, il n'y a jamais de mauvaises journées. En fait, les difficultés deviennent intéressantes. Elles te permettent de mesurer tes propres limites et de développer les ressources infinies que tu possèdes non seulement pour mener ta vie avec succès, mais aussi et surtout pour devenir de plus en plus loyal à ta bonté fondamentale.

De cette manière, il est toujours possible de trouver sens et contentement même au cœur des obstacles.

« Monos » : un seul but

Au fond, pour s'assurer que la vie ait un sens, peut-être faut-il se poser constamment une seule question : Comment dois-je vivre pour mourir sans regret ? Je ne te cacherai pas qu'au monastère il m'arrivait d'oublier cette question et, par conséquent, les raisons qui m'avaient amenée à m'exiler à 2000 kilomètres de chez moi. Je devenais alors plus préoccupée des affaires de la communauté ou de mes projets personnels que de l'état de mon cœur et de mon esprit. Ma bonne humeur en prenait invariablement un dur coup !

Heureusement, Ani Pema, la directrice spirituelle de l'abbaye, me rappelait à l'ordre : « C'est bien de rêver, Ani Lodrö. Tu peux même faire plein de projets et consacrer du temps et de l'énergie à les réaliser, me disait-elle, mais n'oublie pas que tu es ici pour t'éveiller. Ta vie est précieuse : ne la gaspille pas. Ne perds jamais de vue l'essentiel. »

Les mots « moine » et « moniale » reflètent ce souci de l'essentiel. Ils viennent du grec *monos,* un terme qui signifie « un » ou « seul ». *Monos* évoque d'abord une façon de vivre – soit le célibat et une certaine pratique de la solitude –, mais il réfère surtout à une attitude de l'esprit. En effet, porter les robes monastiques, c'est choisir de s'orienter vers *un seul* objectif : s'éveiller aux qualités innées de sagesse, d'amour, de compassion, de courage et de créativité qui font partie de notre patrimoine humain. C'est là un magnifique plan pour la vie. Chose certaine, il a changé la mienne !

~ ~ ~

Ta vie est précieuse : ne la gaspille pas. Ne perds jamais de vue l'essentiel.

~ ~ ~

Je ne sais pas si la question du sens se pose pour toi, mon cher fils. Si tel est le cas, demande-toi : Qu'est-ce que je considère comme « l'essentiel » dans ma vie ? Quel est le point d'ancrage sur lequel reposent la direction que je donne à ma vie, mes choix, ma façon de vivre, mes rapports avec les autres et avec le monde ?

Ce sera un bon début !

De petits moments d'éveil

« Nous possédons
l'instinct de l'éveil. »

— Chögyam Trungpa Rinpoché

Bonjour Xavier,

Je suis heureuse que tu aies apprécié ma première lettre. Tu me dis toutefois que faire de l'éveil à ta bonté fondamentale le plan de ta vie te semble intimidant. Très intimidant même. Tu n'es pas le seul à réagir ainsi. Souvent, ça semble tellement gros qu'on est tenté d'abandonner avant même de commencer!

On est toujours un peu fasciné par la vie du Bouddha et par celle d'autres grands maîtres spirituels. Quelque chose vibre en nous. Il y a une sorte de résonance, mais on se dit tout de suite: «C'est trop pour moi! Je ne serai jamais capable!» Si tu as la tentation de céder au découragement, songe à ceci: tout le monde possède «l'instinct de l'éveil», comme disait Chögyam Trungpa, le fondateur de la tradition Shambhala. Notre bonté fondamentale cherche constamment à se manifester. Nous sommes tous des bouddhas. Le problème, c'est que nous l'ignorons ou que nous en doutons. Crois-le ou non, toutes nos misères proviennent de cette ignorance et de nos doutes.

~ ~ ~

Nous sommes tous des bouddhas.

~ ~ ~

Une présence ouverte et tendre à soi et au monde

Une des façons de développer la confiance en notre bonté fondamentale consiste à noter nos petits moments d'éveil. Ils sont si fugaces que la plupart du temps on ne les remarque même pas, d'autant plus que personne ne nous a appris à les reconnaître.

Je ne t'ai jamais confié cela, mais c'est un tel moment qui a inspiré ma décision de me faire nonne. Laisse-moi te raconter et, à travers mon récit, tu comprendras peut-être mieux de quoi il s'agit. Quelques mois avant mon départ pour le monastère, j'ai accompagné une amie à Karmê-Chöling, un grand centre de méditation Shambhala au Vermont. C'était une froide journée de novembre. Le temps était gris, mais une pâle lumière filtrait à travers les nuages. Les couleurs flamboyantes de l'automne avaient fait place à celles plus sobres qui précèdent la première neige. Je me souviens en particulier des nuances ocre de la terre nue et de la nostalgie dans l'air, si forte qu'on pouvait presque la toucher.

Au début du voyage, je n'ai rien vu de tout cela. Je tentais d'expliquer à ma pauvre amie les incessantes querelles de territoire dans lesquelles j'étais impliquée au bureau. Après avoir passé une bonne heure à cracher tout mon venin, je me suis tue. J'ai alors levé les yeux pour regarder le paysage.

~ ~ ~

La vibrante beauté du monde s'est offerte et m'est allée droit au cœur.

~ ~ ~

En cet instant, la vibrante beauté du monde s'est offerte et m'est allée droit au cœur. Le ronron obsédant a cessé. Je me suis retrouvée ici et maintenant, le corps et l'esprit à la même place, au même moment.

Le petit moi vindicatif s'est tu. C'était comme si un voile se déchirait. Il n'y avait plus que la conscience claire d'un pâle soleil d'automne, de la neige qui tombait doucement, des champs en friche saupoudrés de blanc... juste cela, sans mots. La perfection.

Une grande tristesse m'a envahie et j'ai pleuré. Étrangement, il y avait beaucoup de douceur dans ce chagrin. Il n'était pas fabriqué. C'était l'expérience douce-amère de mon cœur humain naturellement tendre, ouvert, complètement exposé. L'expérience de la bonté fondamentale ou l'expérience des choses telles qu'elles sont.

En cet instant, j'ai eu douloureusement conscience de cette vérité extrêmement dérangeante : « Je suis tout le temps dans ma tête à ruminer le passé ou à anticiper le futur. Je passe à côté de ma vie. »

Un changement radical

Je suis arrivée à Karmê-Chöling le cœur lourd. J'avais le sentiment qu'il me fallait accueillir et respecter ce chagrin, car il contenait un message très clair : si je voulais vivre ma vie pleinement, je devais absolument repenser mes choix et ma façon de vivre.

Le Sakyong Mipham Rinpoché, à qui j'ai pu raconter mon histoire et demander conseil, a confirmé cette intuition. Après m'avoir écoutée attentivement, Rinpoché est resté un moment silencieux, puis il m'a dit :

« Le temps est venu pour vous de faire un changement radical dans votre vie. Méditez, réfléchissez, parlez de ce qui vous occupe avec d'autres personnes et, vous verrez, la voie que vous devez suivre vous apparaîtra clairement. »

Au fond, Rinpoché me disait ce que je savais déjà : un changement s'imposait. Toutefois, il avait utilisé le mot « radical ». Dans le choix bien pesé de ce mot, je voyais une invitation à oser sortir de ma zone de confort et des sentiers battus. C'est ce que j'ai fait.

Six mois plus tard, le 1ᵉʳ juillet 2000, j'entrais au monastère. Comme quoi un petit moment de pure présence peut être le déclencheur d'une complète réorientation de notre vie !

De véritables bénédictions

Les petits moments d'éveil sont de véritables bénédictions. Ils sont très importants, car ils offrent un sens du possible. Oui, pendant de brefs moments, tu peux atterrir sur cette terre avec le sentiment d'être entièrement présent, ouvert, éveillé, complet. Oui, tu es autre chose qu'un petit hamster égocentrique qui tourne sans cesse dans sa roue, oubliant qu'il peut en sortir n'importe quand. Tu as cinq sens, un esprit qui perçoit, sent, vibre et ressent. Tu peux toucher la tendresse naturelle qui t'habite. Tu es un humain, pas un zombie ni une machine.

Tu te demandes sans doute comment faire pour sortir de la roue ! Eh bien, toutes mes lettres seront précisément à ce sujet, mais je peux te dire tout de suite que c'est principalement sur le coussin de méditation qu'on apprend à lâcher prise du ronron mental et à se rendre disponible aux petits moments d'éveil. En fait, le coussin de méditation est un peu comme le gym où l'on entraîne l'esprit. C'est sur le coussin qu'on développe non seulement le calme mental et notre capacité de présence, mais aussi l'intelligence précise qui reconnaît les aspects profond et vaste de l'esprit, son ouverture et sa lumière.

Cette pratique contemplative est vraiment très importante. Aussi, très bientôt, je t'écrirai plus longuement pour te parler de ses bienfaits et t'indiquer comment l'introduire dans ton quotidien.

Ça arrive à tout le monde

Les minimoments de pure présence ne sont certainement pas réservés aux moines et aux nonnes, ou même aux bouddhistes. Il y a quelques années, tu as vécu une expérience de ce genre. Tu traversais une période difficile dans ta vie, le genre de moments où on a l'impression que tous les problèmes arrivent en même temps. Un matin, tu te rendais chez le garagiste pour chercher ton auto. Dans le métro, tu étais si perdu dans tes pensées que tu ne voyais rien autour de toi. On appelle ça « être sur le pilote automatique ».

À la station Mont-Royal, il t'a fallu sortir de ta bulle, ne serait-ce que pour pousser la porte de la station de métro ! Enfin disponible à ce qui t'entourait, tu as vu la neige qui tombait doucement sur un fond de ciel gris. Sans comprendre comment ou pourquoi, le ronron mental s'est arrêté et ton petit moi anxieux s'est évanoui. En cet instant, tu es devenu simple présence ouverte et tendre à cette scène si ordinaire et pourtant magique. Rien n'avait changé dans ta situation, mais toutes tes inquiétudes se sont envolées. Tu m'as dit avoir ressenti une grande douceur ainsi que la certitude de pouvoir faire face aux difficultés que tu rencontrais.

Dans Shambhala, cette confiance que l'on ressent quand le corps et l'esprit sont à la même place, ici et maintenant, a un nom. On l'appelle « *lungta* », le cheval du vent. On dit qu'avoir accès à notre cheval du vent nous garde en bonne santé et assure le succès de nos projets.

Ton expérience a été si intense que tu as senti le besoin de m'en parler. J'étais très heureuse que tu aies pu vivre ce petit moment de grâce. Pour toi-même d'abord, mais aussi parce que cela me permettait de t'expliquer concrètement pourquoi je m'étais exilée au bout du monde. Ce genre d'expériences ne dure qu'un très bref moment, mais cela donne un petit aperçu de ce qu'est la vie quand on touche la source de notre être – notre bonté fondamentale – plutôt que de vivre constamment enfermé dans le regret, la peur ou l'espoir.

C'est difficile à imaginer, mais un Bouddha est dans cet état de conscience en éveil, lucide et tendre, 24 heures par jour, 365 jours par année. En fait, le temps ne compte plus pour lui. Qui n'aurait pas envie de l'imiter ?

Un plan
pour chaque jour

« Lorsqu'on s'aventure sur la voie
du tigre, du lion, du garuda
et du dragon, pratiquer chacune
de leurs vertus se compare
à enfoncer un coin dans la fissure
du roc de l'égocentrisme. »

– Sakyong Mipham Rinpoché

Salut Xavier,

Je suis arrivée à l'abbaye avec trop de valises, un brin d'excitation, la peur de l'inconnu, mon plan pour la vie et le désir de comprendre comment le faire atterrir dans ma vie quotidienne. Autrement dit, j'espérais avoir enfin un plan pour chaque jour.

Le mode d'emploi n'existe pas

J'aurais tellement aimé alors recevoir un petit manuel sur l'a b c de la vie monastique dans lequel j'aurais trouvé quelques trucs pour imiter le Bouddha… vite et sans douleur si possible !

Or, il n'y a pas de truc. Il n'y a pas de manuel intitulé *10 conseils pour atteindre l'éveil parfait en 15 jours*. Chercher des trucs, c'est un des problèmes de notre culture. Les librairies sont pleines de livres qui nous promettent d'être plus heureux, plus sexy, plus authentique, une meilleure mère, un meilleur amant ou un meilleur leader en utilisant des trucs ou des recettes dont les résultats, nous assure-t-on, sont rapides et garantis !

~ ~ ~

Chercher des trucs, c'est un des problèmes de notre culture.

~ ~ ~

S'éveiller à notre bonté fondamentale n'est pas un truc. Ce n'est pas non plus un nouveau produit de consommation, spirituel celui-là, qu'on achète à bas prix avec un manuel d'instruction, un CD en quatre ou six langues et la possibilité d'être remboursé en cas d'échec.

Un plan pour chaque jour qui mène à la découverte de notre potentiel de sagesse et d'amour, c'est plutôt un engagement à vivre différemment. C'est le long et patient apprentissage d'une façon d'être qui nous permet de nous délester petit à petit de tout ce qui crée une barrière entre nous, les autres et le monde. C'est la pratique de cultiver tout ce qui peut nous aider à vivre dans cette ouverture inconditionnelle de l'esprit dont on fait l'expérience dans nos petits moments d'éveil.

Les quatre dignités

Pour moi, à l'abbaye, m'engager au jour le jour à vivre différemment a voulu dire entre autres choses adopter un mode de vie et des pratiques qui allaient me permettre de mieux me connaître et de nourrir certaines qualités de l'esprit comme le **contentement**, la **joie**, le **courage** et la **sagesse**.

Chacune de ces qualités évoque une voie en soi, une étape dans un entraînement progressif vers la pleine réalisation de notre potentiel humain de sagesse et de compassion sans limite. Sache pourtant que dans un petit moment d'éveil, là maintenant, toutes ces qualités sont présentes simultanément. Dans les enseignements de Shambhala, ces qualités sont appelées « dignités ». Chacune d'elles est associée à un animal parfois mythique dont la symbolique aide à comprendre et à retenir la sagesse particulière qui lui est associée et la confiance qu'elle fait naître.

Le contentement

Par exemple, le contentement est associé au tigre* puissant qui porte attention à chacun de ses pas et qui est parfaitement bien dans sa peau. J'ai certainement appris dans mes neuf

---

* Voir la *Lettre 6* et la *Lettre 12*.

années à l'abbaye que le véritable contentement repose sur une compréhension profonde de la notion de simplicité : tout d'abord, la simplicité des choses et du rythme, puis la simplicité de la conduite et enfin, la plus importante, celle de l'esprit dont on fait l'expérience dans la pratique d'une attention à la fois précise et ouverte à l'instant présent.

La joie

La joie née de l'altruisme s'incarne dans le lion blanc* des neiges qu'on imagine errer librement sur des cimes enneigées, humant l'air revigorant de cette noble vertu.

Le courage

Le garuda**, mi-oiseau mi-humain, vole haut dans le ciel sans jamais se poser. Il évoque bien le courage qui apprivoise l'impermanence, l'absolue fluidité de notre être et des choses, leur absence de solidité.

La sagesse

Enfin, le dragon*** manifeste la sagesse enjouée capable de percevoir l'aspect sacré du monde et d'œuvrer joyeusement et habilement au bien de tous, sans arrière-pensée, sans effort et bien sûr sans attente. Rassure-toi, je n'ai pas l'intention de te présenter un brillant exposé sur ces quatre dignités, car

---

* Voir la *Lettre 14* et la *Lettre 20*.
** Voir la *Lettre 3*, la *Lettre 21*, la *Lettre 22*, la *Lettre 23* et la *Lettre 24*.
*** Voir la *Lettre 26*.

d'autres* l'ont fait beaucoup mieux que je ne pourrais jamais le faire. Le Sakyong Mipham Rinpoché résume bien l'importance de ces enseignements quand il écrit : « Lorsqu'on s'aventure sur la voie du tigre, du lion, du garuda et du dragon, pratiquer chacune de leurs vertus se compare à enfoncer un coin dans la fissure du roc de l'égocentrisme**. »

Mon projet, c'est plutôt de te raconter comment ces quatre dignités ont inspiré ma vie quotidienne au monastère et comment elles nourrissent encore maintenant ma vie spirituelle dans le monde.

Tu pourras juger par toi-même comment ces enseignements peuvent s'appliquer dans la vie que tu mènes présentement avec ton *chum*, dans ta maison, dans ta *job* à temps plein, tes études et tes projets de carrière. Ça te va ?

---

* Je pense entre autres à Chögyam Trungpa Rinpoché dans *La voie sacrée du guerrier*, Paris, Seuil, 2004, 209 pages et au Sakyong Mipham Rinpoché dans son livre *Régnez sur votre monde*, Paris, La Table ronde, 2007, 240 pages. Tu prendrais sûrement plaisir aussi à lire Lodro Rinzler, *Prendre un verre avec Bouddha*, Paris, Le jour, 2013, 210 pages, un bouquin fort intéressant et « décontracté » au sujet des enseignements de Shambhala, dont ceux sur les quatre dignités.
** Je cite de mémoire ces propos du Sakyong Mipham Rinpoché.

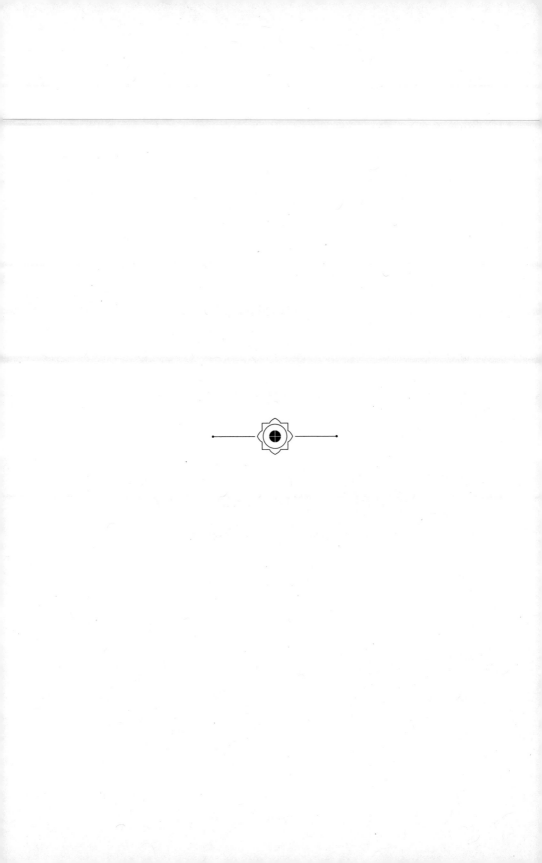

Renoncer :
un mot qui fait frémir

« Le renoncement n'est pas
une punition, mais une façon
de jouir de la vie, de relaxer
et de s'ouvrir au monde. »

– Ani Pema Chödron

Xavier,

Je sais que tu as très envie de lire ce que j'ai à raconter sur mon expérience des quatre dignités mais, avant d'aborder ce sujet, j'aimerais te parler un peu plus longuement de l'état d'esprit qui m'animait quand je suis arrivée au monastère.

Tu m'as demandé récemment si j'ai hésité à prononcer mes vœux. Pour être honnête, ta question m'a un peu embêtée. À l'époque, cela me semblait la seule bonne chose à faire. J'ai plongé sans trop réfléchir, certaine de faire le bon geste. Maintenant que j'y pense, je crois que je voulais savoir qui j'étais vraiment quand j'étais loin de tous ceux qui m'aimaient, quand je ne pouvais plus parler ma langue et que plus personne ne riait de mes mots d'esprit, quand je n'étais plus celle qui animait les fêtes et les soupers fins, quand je ne pouvais plus tasser ma colère ou ma frustration avec un verre d'alcool ou une cigarette, quand je ne pouvais plus m'affaler sur le divan et regarder trois films en ligne pour oublier mes problèmes ou ma dure journée de travail, quand il m'était impossible de me réfugier dans mon bel appartement pour fuir l'hostilité du monde

~ ~ ~

Qui suis-je vraiment?

~ ~ ~

et quand je n'avais plus recours à mes relations et à mes performances professionnelles pour me rassurer sur la validité ou la solidité de mon existence.

Au fond, je cherchais une réponse à deux questions fondamentales : Qui suis-je vraiment ? Existe-t-il en moi une source innée de contentement et de plénitude qui ne repose sur aucune condition extérieure ? Ce sont des questions sur lesquelles il vaut la peine de se pencher. Comme je te l'ai déjà dit, elles sont au cœur de toute démarche spirituelle.

Lorsque je suis arrivée au monastère, j'avais vécu 50 ans sans rien me refuser ou à peu près. Bien que j'aie apprécié tous les plaisirs de la vie, je savais par expérience qu'aucun d'entre eux ne m'avait procuré un bonheur durable, encore moins un véritable sentiment de plénitude. Je voulais donc prendre le risque du dépouillement. Au moins pour les 50 prochaines années !

J'étais donc prête à tenter l'aventure du renoncement d'autant plus que, grâce à la méditation, j'avais goûté un tant soit peu au calme et à la satisfaction profonde dont on peut faire l'expérience quand on lâche prise du ronron mental et qu'on développe une sorte de passion pour une vie de présence curieuse et naïve à l'instant.

Un réalignement vers le meilleur

Renoncer fait certainement partie des mots qui nous font frémir. Un jour, Ani Pema nous a demandé de réfléchir à ce qu'il signifiait pour nous. Fais toi-même l'exercice, c'est vraiment intéressant ! Y a-t-il des choses auxquelles tu crois devoir renoncer pour ton propre bien-être ou celui des autres ? Et que ressens-tu à l'idée de renoncer à ces choses ?

Pour la majorité des gens, «renoncer» signifie généralement abandonner tout ce qui est agréable dans la vie. Mais renoncer a un tout autre sens. Il évoque en réalité un réalignement vers le meilleur. On renonce à quelque chose quand notre désir se porte sur quelque chose de plus grand, quelque chose d'important pour nous et qu'on n'oublie pas.

Même si le mot fait peur, on pratique régulièrement le renoncement pour atteindre certains objectifs qui nous paraissent meilleurs que l'habitude à laquelle on désire renoncer.

Par exemple, on renonce à fumer pour être en bonne santé ou s'offrir un beau voyage. On renonce à une heure de sommeil pour aller s'entraîner au gym. On renonce à certains loisirs pour vivre des moments de qualité avec les enfants. Toi-même, depuis quelque temps, tu renonces progressivement à consommer de la viande, conscient de la terrible cruauté que l'on inflige aux animaux de boucherie et du fait que l'élevage intensif est la deuxième cause de la production de gaz à effet de serre.

En fait, plus on est convaincu de la validité de l'objectif à atteindre et du changement positif qu'il entraînera, plus il est facile de supporter les inconvénients et l'inconfort causés par nos choix. Et, penses-y, y a-t-il un objectif plus valable que celui d'entraîner son esprit, avec patience et douceur, à l'attention, au contentement, à la bienveillance, au courage et à la sagesse, comme l'exige une vie spirituelle authentique?

Mettre fin au combat

Il faut comprendre que, dans la pratique du renoncement, le but n'est pas tant de se libérer des choses elles-mêmes, mais de notre attachement à ces choses et surtout de notre tendance à poser constamment une infinité de conditions à notre bonheur. Il n'y a absolument rien de mal à posséder de nombreux biens et de beaux objets, à aimer parler sa langue ou à prendre un bon verre de rouge avec un délicieux repas. Même les grands maîtres spirituels ont des goûts particuliers. Par exemple, certains aiment le thé noir plus que le thé vert et ils préfèrent qu'on leur serve chaud. Pourquoi pas ? Cela dit, s'ils doivent boire du thé vert et froid, ils n'en font pas tout un plat.

Nous n'avons pas toujours cette merveilleuse souplesse d'esprit. Pense seulement à l'irritation que tu ressens quand tu n'as pas le temps de prendre ton café avant d'aller travailler. C'est assez pour que tu sois de mauvaise humeur toute la journée ! Et si je te demandais de faire la liste de toutes les petites choses que tu considères comme essentielles à ton bien-être, tu serais surpris toi-même de sa longueur !

~ ~ ~

Plus nous posons de conditions à notre bonheur, plus notre vie se complique.

~ ~ ~

En réalité, plus nous posons de conditions à notre bonheur, plus notre vie se complique et plus notre agitation mentale s'accroît, sans même qu'on s'en rende compte. C'est que nous sommes alors constamment ballottés entre l'espoir d'obtenir ce que nous voulons et la peur de ne pas y réussir ou encore de perdre ce que nous avons.

Notre vie devient alors une sorte de combat perpétuel. Notre esprit est encombré et jamais tranquille. Il est alors très difficile de réaliser notre potentiel de présence à l'instant, de tendresse et de bienveillance – la source même de ce contentement qui ne dépend de rien ni personne. En arrivant à l'abbaye, en juillet 2000, je voulais mettre fin à ce combat.

Voyager léger

Trois mois plus tard, le 23 septembre, je prenais mes premiers vœux.

J'étais absolument radieuse comme en témoigne la photo que je t'ai fait parvenir. C'était vraiment un grand jour, un jour que j'avais attendu très longtemps. J'aurais bien aimé que tu sois là.

Il y a eu un moment très touchant durant la cérémonie. Comme c'est la tradition, mes cheveux avaient été rasés la veille, sauf pour une petite mèche au sommet du crâne. Cette coupe pour le moins radicale est un rappel d'un geste du Bouddha lorsqu'il a quitté son palais pour entreprendre la quête spirituelle qui allait le mener à l'éveil. L'histoire raconte qu'il a pris le sabre du serviteur qui l'accompagnait et qu'il a tranché net sa magnifique chevelure relevée en chignon, comme c'était la mode pour les gens de la noblesse en Inde il y a plus de 2500 ans. La mèche de cheveux que l'on préserve au moment du « rasage » évoque symboliquement ce chignon et, lors de la cérémonie d'ordination, Ani Palmo, la préceptrice, m'a donc demandé avec un grand sourire : « Puis-je couper cette dernière mèche de cheveux ? » J'ai donné mon accord avec enthousiasme.

J'ai ressenti un immense soulagement. C'était comme si je déposais un lourd fardeau. J'avais la ferme intention de m'éveiller et je la scellais par un vœu. J'étais vraiment déterminée à simplifier ma vie et à m'inspirer de l'exemple et des enseignements du Bouddha pour mettre fin à ma confusion et vivre en pleine conscience. Pour cela, j'étais prête à voyager plus léger.

Et toi, sans vouloir te faire moine, as-tu envie parfois de voyager plus léger ?

Qu'est-ce que cela voudrait dire dans ta vie ?

Le pouvoir des vœux

« Il ne faut jamais sous-estimer
le pouvoir de l'intention. »

– Ani Pema Chödron

Cher Xavier,

J'ai pris mes premiers vœux permanents un an et demi après mon arrivée à l'abbaye. Lodrö Sangpo, mon mentor, m'a offert alors une paire de bas bourgogne trop grands pour moi. Il avait écrit sur la petite carte qui accompagnait son présent : « Ne t'attends pas à ce que les choses te conviennent ! »

Ce conseil, j'en aurais eu bien besoin dès mon entrée au monastère, car mes deux premières années de vie monastique ont été extrêmement difficiles. Plus tard, Ani Pema dira de cette période qu'elle a été pour moi une véritable désintoxication… et sans béquilles !

J'aimerais pouvoir écrire que je me suis adaptée avec souplesse et patience au changement de mes habitudes et à la perte des points de référence majeurs qui avaient jusque-là défini mon identité, comme mon statut de mère, ma profession, mon réseau d'amis, ma langue, mes préférences et mes habitudes de vie, etc. Ce ne fut pas le cas. J'ai plutôt rué dans les brancards et blâmé l'univers entier, comme on a trop souvent tendance à le faire quand notre petit monde s'effondre et qu'on souffre. Mes seuls refuges étaient la pratique de la méditation et l'étude, activités dans lesquelles je me suis d'ailleurs plongée avec passion.

Rester en contact avec la boussole intérieure

Je m'étonne encore aujourd'hui d'avoir persévéré et réussi à surmonter ces obstacles. Je suis convaincue que mon vœu de renoncement m'a beaucoup aidée et je suis heureuse d'avoir maintenu mon aspiration à le respecter. Si tu as la patience de lire chacune des lettres que je te destine, tu verras que j'ai beaucoup reçu en retour.

Toutes les traditions spirituelles authentiques offrent divers rituels pour soutenir nos décisions. La prise de vœux en est un. Tu en reconnais l'importance puisque tu as choisi de te marier avec Stéphane, même si vous formiez un couple depuis dix ans. Sceller votre union par des vœux devant tous ceux qui comptaient à vos yeux vous paraissait important. C'était comme une confirmation et une proclamation de votre engagement l'un envers l'autre.

~ ~ ~

Toutes les traditions spirituelles authentiques offrent divers rituels pour soutenir nos décisions.

~ ~ ~

Les vœux favorisent certes l'engagement, la cohérence et la persévérance, des qualités, hélas, de plus en plus rares de nos jours. S'engager en prenant un vœu, du moins quand on le fait sérieusement, c'est orienter l'esprit dans une certaine direction. Notre esprit est malléable. Sur le plan spirituel, il peut être dirigé dans un sens particulier, celui de la clarté ou celui de l'ignorance.

En général, on a de la difficulté à choisir. On veut tout, devenir une meilleure personne, mais aussi rester dans nos vieilles bottines ! On fait alors un pas dans la bonne direction mais souvent, on abandonne à la première difficulté. Par exemple, on s'efforce honnêtement de rester branché sur l'ouverture et la bienveillance, mais à la première insulte, on agresse ou on se renfrogne ! Dans un tel cas, le vœu, surtout s'il est répété chaque jour, nous rappelle à l'ordre.

Bien commencer la journée

Un de mes moments préférés au monastère était précisément la prise de vœux quotidienne. Je me levais tôt pour étudier un peu et goûter le silence avant la cérémonie du matin. Puis, à 6 h, toute la communauté se réunissait dans la grande salle de méditation dont les fenêtres donnaient sur le vaste ciel et la mer qu'on avait peine à distinguer les jours de brume. Par gros temps, la maison tremblait sous l'assaut des bourrasques et la violence des vents soutenait notre vigilance. Par beau soleil et ciel bleu, la douceur du temps s'infiltrait silencieusement dans notre lieu de recueillement et dans nos cœurs. En hiver, j'aimais le contraste entre la chaude clarté de la salle de méditation et la froide obscurité de l'aube.

Quand toute la communauté était rassemblée, nous prenions le temps de renouveler notre engagement à respecter notre plan pour la vie et notre plan pour chaque jour. J'ai toujours pensé que c'est une excellente façon de bien commencer sa journée.

L'autre jour, tu m'as confié à quel point tu aimais ton petit rituel du matin. Au lever, un bref coup d'œil sur tes courriels suivi d'un café bien fort. Puis, petit-déjeuner, douche et te voilà parti au travail. Si tu désires faire une place à la spiritualité dans ta vie, puis-je te suggérer d'inclure dans cette cérémonie matinale, et ce, avant même de saisir ton iPad, un bref moment pour réaffirmer ton intention de nourrir certaines qualités éveillées de l'esprit, comme l'attention, le discernement, la patience ainsi que l'amour et la compassion ?

Tu peux faire cela assis sur le bord de ton lit avant de faire quoi que ce soit d'autre. Tu peux aussi le faire dans tes mots, simplement. Par exemple, tu pourrais dire : «Aujourd'hui, je vais m'efforcer d'être présent à moi-même et aux autres. Je vais porter attention à tous les petits détails de ma vie. Je vais m'entraîner à garder le cœur et l'esprit ouverts envers tous et en toutes circonstances. »

Ce petit cinq minutes de réflexion t'aidera à rester en contact toute la journée avec cette boussole intérieure que nous possédons tous et qui nous invite à la décence, à la douceur et au courage, même quand certaines situations de la vie font naître la tentation de l'agression ou du découragement.

Si ton aspiration est profonde et sincère, je peux t'assurer qu'un tel vœu, repris chaque matin, donnera du sens à chacun de tes jours. Tu seras surpris de l'impact que cette simple petite pratique aura sur ta vie. Tu sais, il ne faut jamais sous-estimer le pouvoir de l'intention.

Bon, je crois que je suis maintenant prête à t'entraîner dans une exploration plus approfondie des quatre dignités qui constituent, tu t'en souviens, notre plan de chaque jour.

Nous commencerons par la dignité du tigre, la voie de la simplicité et du contentement. Comme je te l'ai promis, je te parlerai d'abord de la simplicité des choses et du rythme, puis de la simplicité de la conduite et enfin j'aborderai celle de l'esprit qui, même si elle vient en dernier, est la plus importante.

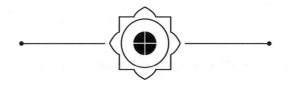

La simplicité et le contentement

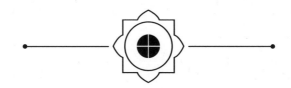

Simplicité, routine et liberté

—◈—

« C'est la simplicité qui est
au cœur de l'idéal bouddhiste,
et cela n'a rien à voir avec le fait
d'être riche ou pauvre. »

— Chögyam Trungpa

Mon cher fils,

Lorsque tu es venu me rendre visite à l'abbaye quelques années après mon départ, tu as pu constater que la simplicité est au cœur de la culture monastique. Je ne sais pas si les monastères ont inventé la simplicité volontaire, mais les moines et les nonnes en sont sûrement de fervents adeptes !

Simplicité de l'apparence, des possessions et du rythme

Il y a d'abord la simplicité de l'apparence. La garde-robe d'une nonne se limite à deux ou trois ensembles de robes, de bons souliers, une paire de bottes et des vêtements chauds. Les cheveux rasés ou coupés très courts éliminent les visites chez le coiffeur, les bigoudis, les teintures, le séchoir et le fer à friser !

La vie quotidienne est aussi très simple. Chaque semaine, l'horaire est à peu près identique et partage le temps de façon équilibrée entre la méditation, l'étude des enseignements bouddhistes et shambhaliens, le service à la communauté, les pauses santé et les heures libres. La nourriture est bonne, mais très ordinaire. L'organisation hebdomadaire des menus végétariens est conçue pour éviter le gaspillage. Si les repas du matin et du midi peuvent être copieux, celui du soir se résume à une soupe santé, en rappel du jeûne qu'observaient moines et nonnes au temps du Bouddha après le repas du midi.

Parfois, lors d'une journée «portes ouvertes» ou à l'occasion de grandes fêtes, comme celle du Nouvel An Shambhala, les gens des villages voisins sont invités. Alors, de véritables festins sont offerts, chacun et chacune y allant de sa créativité pour les préparer. Ils sont d'autant plus appréciés qu'ils viennent rompre l'ordinaire.

Il y a une seule laveuse et une seule sécheuse pour toute une communauté dont le nombre oscille entre 20 et 30 personnes. À mon souvenir, cela n'a jamais créé de problème. Il n'y a ni radio ni télé et l'accès à Internet est limité à certaines heures. Les choix de loisirs sont restreints : un thé entre amis, la lecture, le dessin ou le bricolage à l'atelier, une séance de cinéma par semaine, les soirées Conte-moi une histoire, des séances de tai-chi ou de yoga, les randonnées en forêt, des baignades à la mer en été et, parfois, une excursion au village ou vers un des merveilleux sites du Cap-Breton.

Comme tu peux le remarquer, ces activités encouragent la communication, la créativité, la stimulation intellectuelle, l'appréciation de la nature et la forme physique plutôt que la télé-cyberdépendance. Pour certains, en particulier les résidents de passage, renoncer à la télé ou à YouTube était très difficile, mais pas pour moi. En fait, je ne me rappelle pas avoir souffert de l'ennui durant tout mon séjour au monastère.

Faire quelque chose toujours de la même manière

Cette simplicité de l'apparence, des possessions et du rythme des choses concourt à créer ce que l'on peut appeler « *le style et la routine monastiques* ». Selon le Larousse, la routine c'est « l'habitude de faire quelque chose toujours de la même manière* ». Au monastère, la routine c'était chaque semaine le même horaire, tous les jours les mêmes robes rouges, la même salle de méditation et le même grand Bouddha sur l'autel, les

---

* *Larousse* 2003.

mêmes chants quotidiens, le même coussin de méditation, le même menu au déjeuner, la même maison jaune au bout du chemin de terre, les mêmes gros corbeaux…

Dans un monde où répétition est synonyme d'ennui, il y a de quoi devenir fou, me diras-tu! Eh bien, non! Lorsque l'esprit n'est plus constamment stimulé par les distractions et sollicité par de multiples choix, il s'apaise. On se détend, les sens s'affinent et on peut mieux jouir de la vie. Les perceptions deviennent riches et vives. «On voit des formes que l'on n'a jamais vues et on entend des sons que l'on n'a jamais entendus*.»

En réalité, chaque instant est unique, neuf, frais. Quand l'esprit n'est plus encombré, le présent est alors pleinement investi. On devient alors attentif à tous les détails de notre existence et on remarque que ce n'est jamais le même Bouddha sur l'autel ou le même café au petit-déjeuner. Lorsqu'on y consent pleinement, la simplicité extérieure favorise et nourrit la simplicité intérieure. Les deux sont indispensables si on souhaite vivre dans l'ouverture du cœur et de l'esprit.

~ ~ ~

Quand l'esprit n'est plus encombré, le présent est alors pleinement investi.

~ ~ ~

Loin de moi l'idée de prêcher le dénuement. La pauvreté n'est pas vraiment un idéal en bouddhisme, en particulier dans le bouddhisme de Shambhala. Dans son livre *Work, Sex, Money*, Chögyam Trungpa écrit: «C'est la simplicité [ou le

---

* Chögyam Trungpa Rinpoché.

non-attachement] qui est au cœur de l'idéal bouddhiste, et cela n'a rien à voir avec le fait d'être riche ou pauvre*. »

Le « combo » vitesse et complexité

Pour simplifier sa vie, il est bon d'abord de réfléchir à notre rapport au « combo » vitesse et complexité, ces ingrédients apparemment incontournables de la modernité. As-tu remarqué que nous semblons tous pressés de nous rendre quelque part… mais où donc ?

La vitesse, c'est un agenda bien rempli, l'approche multitâche et une cadence folle – le plus souvent inutile. C'est aussi, et surtout, une tendance inconsciente à toujours se projeter en avant. Au lieu de savourer sa confiture au petit-déjeuner, on pense au menu du souper. Dans une conversation, on pense à ce qu'on va dire plutôt que d'écouter vraiment. Assis devant la télé, on n'arrête pas de tripoter la télécommande.

La vitesse, c'est l'incapacité de se déposer dans l'instant. L'esprit n'est jamais au repos. Il s'affole et demande : « Et puis après ? Et puis après ? » Cela reflète une sorte d'insatisfaction ou d'anxiété fondamentale. Par peur du vide, on meuble désespérément l'espace en se réfugiant dans le petit esprit préoccupé par mille choses. La complexité, elle, est un trop-plein. Un trop-plein d'informations, d'activités, de décisions à prendre, de responsabilités, de relations, de soucis, de dettes, de vêtements dans la garde-robe ou de bouffe dans le réfrigérateur.

---

* Chögyam Trungpa, *Work, Sex, Money*, États-Unis, Shambhala, 2011, p. 167. [traduction libre]

C'est surtout un trop-plein de pensées et d'émotions qui souvent nous obsèdent ou nous submergent parce qu'on ne prend pas le temps d'observer leur impermanence. Tu sais, lorsqu'on médite, on réalise assez rapidement que les pensées s'évanouissent d'elles-mêmes quand on ne s'accroche pas, quand on ne les nourrit pas. Lorsqu'on fait cette expérience, c'est un tel soulagement. On cesse d'avoir peur de nous-mêmes parce qu'on découvre que nous ne sommes pas nos pensées ni nos émotions !

Chose certaine, quelles qu'en soient les manifestations, vitesse et complexité sont des formes subtiles d'agression, l'envers de la douceur. Leur pouvoir de destruction est bien réel, même s'il est insidieux, car une surenchère de l'avoir et du faire nous éloigne de nous-mêmes : dans une telle culture, on a le sentiment d'être bien vivant mais, en réalité, on mène une vie fictive – dans la tête. On ne sait plus sentir et ressentir.

Regarde ta propre expérience. Quand prends-tu le temps de regarder le ciel ou les fleurs dans le jardin du voisin ? Combien de fois te rends-tu au travail la tête dans les nuages, sans rien remarquer autour de toi ? As-tu appris à lire le regard des autres, les rides sur leur visage ou la chaleur de leur sourire ? T'arrive-t-il de faire de courtes pauses dans la journée pour simplement entendre les sons ambiants, déceler les odeurs, sentir le poids de ton corps sur une chaise, ou simplement prendre conscience de ce que tu ressens ?

> ~ ~ ~
> *Quelles qu'en soient les manifestations, vitesse et complexité sont des formes subtiles d'agression, l'envers de la douceur.*
> ~ ~ ~

Vitesse et complexité sont directement liées, entre autres choses, au taux élevé de *burnout,* à la détérioration de la qualité des rapports humains, ainsi qu'aux diverses manifestations de détresse morale dans notre société, dont la perte de sens. En effet, quand on est loin de son cœur et de ses sens, on est inévitablement loin de sa vie et des autres. D'où ce sentiment d'isolement que l'on ressent parfois, même quand on est entouré.

Notre façon de vivre a aussi une incidence sur l'environnement : notre culture du trop-plein – fondée sur la peur, l'insatisfaction et l'avidité – contribue certainement à épuiser les ressources de notre précieuse et fragile planète et à la transformer en désert ou en vaste dépotoir.

Ne crois pas que j'exagère. Matthieu Ricard, dans son merveilleux livre *Plaidoyer pour l'altruisme,* nous apprend «qu'en 2010, 65 milliards de tonnes de matières premières nouvellement extraites de l'environnement sont entrées dans le système économique. On s'attend à ce que ce chiffre atteigne 82 milliards en 2020[*].»

À ce rythme-là, nous aurons besoin d'une autre planète sous peu !

Voyager léger : un choix très personnel

Le philosophe romain Sénèque a écrit : «De toute évidence, un homme ne peut réaliser ses objectifs lorsqu'il a de trop nombreuses préoccupations.» Le «combo» vitesse et complexité nous prive certainement de l'espace et du recul

---

[*] Matthieu Ricard, *Plaidoyer pour l'altruisme,* Paris, NIL, 2013, p. 686.

nécessaire dont on a besoin pour discerner et orienter notre vie vers l'essentiel : la réalisation de notre potentiel humain d'intelligence, de courage et de bienveillance.

Rappelle-toi, c'est là notre plan pour la vie alors que le plan pour chaque jour consiste à nous délester de ce qui nous sépare des autres et à nous brancher sur ce que nous sommes vraiment : un immense réservoir d'amour inconditionnel. Je sais, quand on lit la une des journaux, il est facile d'en douter, car les héros de l'amour quotidien font rarement la première page. Pourtant, quand tu y penses, c'est l'amour qui est à l'origine des sociétés humaines. Ne sont-elles pas l'expression de notre désir profond de communiquer, de coopérer et de nous entraider pour assurer notre survie, notre protection et notre mieux-être ? Qu'on en soit conscient ou non, l'amour – sous de multiples formes – est certainement la force inhérente qui a permis à l'espèce humaine de survivre, malgré d'innombrables dérapages, comme ces guerres d'une cruauté inouïe et diverses crises causées par les catastrophes naturelles. La mobilisation internationale à la suite du tremblement de terre meurtrier en Haïti, en 2010, en est une belle illustration.

~ ~ ~

Pourtant, quand tu y penses, c'est l'amour qui est à l'origine des sociétés humaines.

~ ~ ~

Pourtant, quand vitesse et complexité dominent nos vies, la bienveillance et l'altruisme semblent relever du conte de fées et il nous arrive de penser – et même d'affirmer bien haut – que ces qualités sont un signe de faiblesse.

Il importe de remettre en question ce «combo» vitesse et complexité pour être heureux tout simplement, mais aussi afin de prendre soin des autres et de la Terre. Toutefois, la façon de le faire demeure en grande partie une question très personnelle. Chacun doit faire les choix qui lui semblent raisonnables et appropriés en étant conscient que tout changement d'habitude requiert intelligence et patience.

~ ~ ~

On peut vivre totalement engagé dans le monde sans se laisser happer.

~ ~ ~

Je ne te suggère certainement pas d'imiter radicalement la vie des moines. Ce n'est ni souhaitable ni possible en dehors d'un monastère. En revanche, on peut vivre totalement engagé dans le monde sans se laisser happer. Comment? Voici quelques avenues pour préserver le monastère dans ton cœur... libre à toi d'y réfléchir et de les adopter si tu le désires:

❋ Privilégie quelques amitiés solides plutôt que de nombreuses relations mondaines ou superficielles.

❋ Si possible, diminue le nombre d'activités et surtout n'en fais qu'une seule à la fois. Oui, oui, ça veut dire pas de télé ni de iPad en mangeant! Et, bien sûr, pas de texto au volant: ça peut être mortel!

❋ Porte attention à tous les petits détails de ta vie afin d'en découvrir la magie. Sois pleinement présent à toi-même et aux autres. C'est là que réside la source du contentement.

* Durant le jour, offre-toi de courtes plages de silence et quelques pauses pour simplement porter attention à ta respiration pendant une minute ou deux.

* Prévois des moments de solitude durant l'année pour te rencontrer, apaiser ton esprit et faire le point.

* Choisis des loisirs qui vont t'aider à garder la forme, celle du corps, du cœur et de l'esprit.

* Résiste aux pressions de la publicité. Avant d'acheter un objet, demande-toi : « Ai-je vraiment besoin de ça ? » ou « Est-ce possible de l'acheter usagé ou de l'emprunter ? ». Prends soin de tes choses et essaie de les réparer quand elles se brisent plutôt que de courir en acheter d'autres.

* Fais un grand ménage chaque année et partage ton trop-plein avec les plus démunis.

Je suis certaine qu'en réfléchissant tu trouveras toi-même bien d'autres façons de simplifier ta vie. Rappelle-toi que voyager léger n'a rien à voir avec l'austérité. Il s'agit plutôt de créer des conditions qui contribuent au désencombrement de l'esprit afin de le rendre plus disponible au moment présent. Au risque de t'ennuyer, je te le répète : le passé n'est plus, et ce que tu appelles le futur n'existera peut-être jamais. Ta vie, c'est maintenant. Tout le reste est une fantaisie ! Pire, un mensonge !

~ ~ ~

Le passé n'est plus, et ce que tu appelles le futur n'existera peut-être jamais.

~ ~ ~

La perle de cristal

« On ne perd que ce
à quoi on est attaché. »

– Bouddha

Très cher fils,

Avec le temps, j'ai fini par apprécier la vie simple du monastère, mais tu te rappelleras qu'au début je me plaignais de notre routine qui faisait parfois naître en moi un sentiment de claustrophobie. Alors, certains jours libres, je m'organisais pour aller au village acadien de Chéticamp! C'était une grande sortie! J'allais au supermarché acheter quelques gâteries, puis au Bargain Store d'où je sortais toujours avec quelque babiole. Moi qui avais toujours eu les magasins en horreur, je découvrais comment acheter – acheter n'importe quoi, mais acheter – peut être une merveilleuse distraction! C'est un leurre, bien sûr, car le plaisir ne dure pas et on veut toujours autre chose. Cependant, pour un bref instant, l'illusion d'avoir vaincu l'ennui ou la solitude est presque parfaite.

Ani Pema était consciente de ce piège, et c'est la raison pour laquelle elle insistait sur la simplicité des possessions et la pratique de la générosité. Un jour, elle nous a proposé un petit exercice que je te suggère d'essayer, car il est très instructif! Nous devions faire mentalement le tour de notre chambre et trouver un objet auquel nous étions profondément attachés afin de le lui donner. «Si vous êtes incapables de me l'offrir réellement, a-t-elle ajouté, essayez au moins de me l'offrir en pensée.»

J'ai donc fait l'inventaire de mes maigres possessions. Orgueil ou naïveté, je croyais avoir de la difficulté à trouver un objet pour lequel j'éprouverais un véritable attachement. De fait, rien ne m'a vraiment accrochée jusqu'à ce que je remarque sur mon autel une petite perle de cristal qu'une amie atteinte de la sclérose en plaques m'avait offerte avant mon départ de Montréal.

Cette petite perle représentait beaucoup pour moi. Elle était non seulement jolie dans son bel écrin de velours rouge, mais je l'avais de plus investie de plusieurs significations. Elle évoquait tout d'abord l'amitié, mais aussi la clarté de l'esprit à laquelle j'aspirais et l'abondance du cœur.

Ironiquement, voilà que je ne pouvais me résoudre à me défaire d'un minuscule objet qui était à mes yeux un symbole d'ouverture et de générosité! J'ai donc décidé de l'offrir mentalement, soulagée à l'idée de ne pas avoir à m'en séparer.

Le lendemain, je me suis confiée à Ani Pema qui a répliqué sans hésiter: «Bien sûr, Ani Lodrö, je m'attends à ce que tu m'offres réellement cette perle!» J'étais consternée! Toutefois, comme j'avais confiance en elle, je lui ai offert ma perle. Je dois te dire que cela m'a arraché le cœur. J'étais certainement fort loin du non-attachement et de la joie du don!

Quelques semaines plus tard, j'ai trouvé dans mon pigeonnier une petite note de sa part. Elle m'invitait à passer la voir le jour même. Cette fois, elle n'avait rien à me demander, mais bien quelque chose à m'offrir: la petite perle de cristal! Elle m'a dit: «Ani Lodrö, je n'ai jamais eu l'intention de garder cette perle. Je t'ai demandé de me l'offrir parce que j'ai voulu t'enseigner ce que mon propre maître, Chögyam Trungpa, m'a enseigné: "On ne perd que ce à quoi on est attaché."»

J'avais donc retrouvé ma perle mais, désormais, je la voyais différemment. Elle ne me possédait plus. L'envoûtement de l'attachement était dissipé et, de fait, quelques mois plus tard, je l'ai offerte en cadeau, sans même un froncement de sourcils, à une résidente qui se sentait seule et mal aimée.

Je n'ai jamais oublié cette leçon et, depuis, il m'est arrivé à quelques reprises de réaliser cette vérité profonde : lorsqu'on ne s'attache à rien, le monde entier nous appartient.

Aujourd'hui, quand je suis tentée d'endormir un chagrin ou de fuir mon anxiété en achetant une babiole, je me répète cette simple phrase : «Je n'ai besoin de rien.» C'est un mantra extraordinaire. Il prévient les trous dans le budget et les marges de crédit défoncées. Mieux encore, il aide à guérir de l'insatisfaction.

Voilà donc mes réflexions en ce qui concerne la simplicité des choses et du rythme. Si tu le veux bien, dans ma prochaine lettre, j'aborderai le thème délicat de la simplicité de la conduite.

~ ~ ~

Lorsqu'on ne s'attache à rien, le monde entier nous appartient.

~ ~ ~

La décence
a bien meilleur goût

---⬖---

« Nous devons apprendre à vivre
ensemble comme des frères, sinon
nous allons mourir tous ensemble
comme des idiots ! »

– Martin Luther King

Cher Xavier,

Si un extraterrestre un peu futé – en mission incognito sur la Terre – devait raconter son voyage à sa famille, il dirait probablement : « Les êtres humains sont d'étranges créatures. Ils sont très intelligents et en général pleins de bonnes intentions. Peu importe la couleur de leur peau, leur sexe, leur religion, leur nationalité ou leur orientation sexuelle, ils souhaitent tous être heureux, mais on dirait qu'ils ne savent pas comment s'y prendre. » C'est avec cette fable pour le moins intrigante qu'Ani Pema, notre directrice spirituelle, inaugura ma première *Retraite du temps des pluies* à l'abbaye.

La joie de la discipline!

La *Retraite du temps des pluies* a lieu chaque année dans tous les monastères bouddhistes du monde, et cela depuis le temps du Bouddha.

À son époque, moines et nonnes se déplaçaient constamment et n'avaient pas de résidence permanente. Durant la saison des pluies – ou mousson – qui durait environ trois mois, errer sur les routes de l'Inde devenait plus difficile. D'une part, c'était très inconfortable, ou franchement dangereux. Aussi, le risque de tuer par mégarde insectes et petites bêtes – qui pullulent par temps humide – était plus grand à cette période de l'année. Or, comme les bouddhistes s'efforcent de protéger toute forme de vie, durant la mousson, les membres de la communauté monastique se rassemblaient dans un même lieu – en général de grands parcs naturels mis à leur disposition par des princes ou de riches marchands afin d'écouter les enseignements du Bouddha et de méditer.

La tradition est restée… avec quelques adaptations locales. Ainsi, à l'abbaye, la *Retraite du temps des pluies* a lieu non pas en été, mais durant les mois d'hiver et elle dure sept semaines.

C'est la période de l'année où Ani Pema quitte son ermitage situé au Colorado pour séjourner au monastère. Inutile de dire que j'avais attendu ce moment avec un peu de fébrilité. J'avais lu plusieurs de ses excellents livres et j'étais impatiente de la rencontrer et de recevoir ses enseignements. Cette année-là, le thème de ses causeries était la joie de la discipline, deux mots que je n'avais jamais songé à associer !

En fait, durant toute la retraite, Ani Pema allait enseigner sur le thème de la décence ou simplicité de la conduite, ce qui, tu t'en doutes, exige une certaine discipline. Avec sa petite histoire d'extraterrestre, notre directrice spirituelle nous rappelait que pour vivre content, avec un esprit tranquille, il est préférable d'être loyal envers ce qu'il y a de meilleur en nous-mêmes. Elle nous invitait donc à redorer le blason de la décence, cette composante essentielle de l'art d'être humain. Tout cela te semble peut-être abstrait, alors laisse-moi t'expliquer. Tu verras que c'est non seulement très concret mais aussi plein de bon sens.

Redorer le blason de la décence

Le dictionnaire définit la décence comme «le respect des convenances», mais dans la tradition de Shambhala on parle plutôt de «respect du karma». «Karma» signifie action. Pratiquer la décence, c'est d'abord comprendre que ce que tu fais, dis et penses a des conséquences sur ta propre vie, sur celle des autres et sur l'environnement. La façon dont tu te conduis est importante, même quand tu es seul, car tes actions positives auront des effets positifs et, à l'opposé, tes actions négatives auront des conséquences négatives. C'est tout simple : cela s'appelle « la loi du karma » et, d'après Bouddha, cette loi est incontournable.

Si tu nourris constamment des pensées de ressentiment, cela aura des effets négatifs sur ta vision du monde, tes décisions, tes relations avec les autres et même sur ta santé. Je sais, pour en avoir fait l'expérience, qu'un ressentiment prolongé est souvent une des causes de l'épuisement professionnel. À l'inverse, l'appréciation et la gratitude te rendront satisfait, optimiste, sage et créatif, populaire et énergique !

~ ~ ~

La façon dont tu te conduis est importante, même quand tu es seul.

~ ~ ~

Malheureusement, comme espèce, nous avons tendance à oublier et parfois même à renier non seulement la gloire et la dignité inhérentes à notre humanité mais aussi la loi du karma. Les conséquences peuvent parfois être désastreuses. Si l'extraterrestre dont parle Ani Pema poursuivait son récit, il pourrait dresser une longue et triste liste des incohérences humaines. Au 20e siècle, elles ont été particulièrement innommables et bouleversantes. Pense seulement aux violences extrêmes – guerres, génocides, camps d'extermination – qui ont entraîné la mort, souvent horrible et cruelle, de centaines de millions de personnes !

En fait, ce que j'essaie de te dire – un peu brutalement j'en conviens – est très simple. Il y a maintenant 7 milliards d'êtres humains sur la Terre et la population ne cesse de s'accroître. Il est clair que nous ne pouvons plus nous permettre de vivre et d'agir pour notre seul profit, sans penser aux autres, sans penser aux conséquences de nos actes. Comme le disait si bien Martin Luther King : « Nous devons apprendre à vivre ensemble comme des frères, sinon nous allons mourir tous ensemble comme des idiots ! »

Tu vois Xavier, comme bien d'autres, je suis convaincue qu'il n'y a pas d'avenir pour nous dans l'égoïsme, l'avidité et l'agression. En réalité, il n'y en a jamais eu, mais la gravité de la situation actuelle nous amène à en prendre conscience. Il devient de plus en plus difficile de se fermer les yeux et c'est une bonne chose. Jouer à l'autruche devient quasi immoral. Se croiser les bras aussi.

~ ~ ~

Il n'y a pas d'avenir pour nous dans l'égoïsme, l'avidité et l'agression.

~ ~ ~

La bonne nouvelle c'est que lorsqu'on voit un problème, il est possible d'imaginer des solutions. Pour bien vivre avec soi et pour bien vivre ensemble sur la seule planète que nous avons, il importe de retrouver confiance en la bonté fondamentale des êtres humains. Il nous faut oser la révolution éthique à laquelle tous les maîtres de sagesse ne cessent de nous inviter.

L'éthique te paraît peut-être un bien grand mot, mais ça veut simplement dire d'agir en ayant en tête non seulement ton propre bien *mais aussi* celui des autres. Et cela, quoi que tu fasses.

Et si on parle de révolution, c'est parce que introduire dans nos vies et dans nos sociétés le souci de l'autre entraîne inévitablement des transformations majeures et bénéfiques.

Imagine seulement les changements qui surviendraient, ne serait-ce que dans nos habitudes de production et de consommation, si nous avions le souci de l'autre : cela voudrait dire des conditions de travail et des salaires décents, un commerce équitable, le respect des animaux, une utilisation judicieuse des ressources, l'utilisation d'énergies propres, etc.

Ça te paraît peut-être énorme, mais l'histoire humaine est jalonnée de profondes transformations fondées sur la prise de conscience de la valeur intrinsèque de chaque être humain. Pense, par exemple, à la fin de l'esclavage aux États-Unis et à celle de l'apartheid en Afrique du Sud. Pense à l'abolition de la peine de mort chez nous et aux nombreuses législations qui ont contribué à améliorer les droits des femmes, les conditions de travail, les soins offerts aux malades, ainsi que les conditions de détention des prisonniers.

Chose certaine, la révolution éthique commence à la maison, c'est-à-dire dans notre propre vie d'abord. Nous sommes tous concernés. Toi et moi devons apprendre à mieux discerner ce qui est nuisible à nous, aux autres et à notre environnement afin de poser les bons gestes.

Marcher sur nos deux jambes

Je suis de la génération des fleurs. C'est un aspect de ma vie que tu ne connais certainement pas ! Eh oui, je faisais partie de cette cuvée de jeunes des années 1970 qui a bravement remis en question non seulement l'exploitation économique, mais aussi de nombreuses valeurs sociales et culturelles aliénantes – comme celle de l'inégalité entre les hommes et les femmes, la consommation à outrance ou encore l'exploitation de ce qu'on appelait le tiers-monde. Nous étions assoiffés de changement et de liberté. Les règles morales nous apparaissaient le plus souvent comme des contraintes inutiles. Nous pensions que tout était permis.

Aussi, malgré une éducation rigoureuse dans un couvent catholique, je dois t'avouer que, tout au long de ma vie adulte, je n'ai pas toujours réfléchi à la valeur éthique de mes actes. Cela va te surprendre, mais dans les années 1970 j'ai cru, en toute ignorance et bonne foi, que la violence était la seule voie pour mettre fin à toutes les formes d'oppression. Je sympathisais de tout cœur avec les mouvements de lutte armée dans différents pays et les actes violents commis au nom de la liberté et de la justice. Cela te donne une petite idée du chemin que j'ai parcouru !

Avec le recul, je vois bien qu'une bonne partie de mon existence a été orientée vers la seule satisfaction de mes besoins, réels ou imaginaires, vers la recherche constante du plaisir, immédiat si possible, et vers la promotion parfois musclée ou rusée de mes projets et de mes idées... sans que je sois toujours préoccupée par l'impact de ma conduite sur les autres. Rien n'a vraiment changé quand je suis devenue bouddhiste car, comme je te l'ai déjà dit, j'avais tendance à faire les choses à moitié. C'est donc au monastère que j'ai commencé à réfléchir sérieusement à ma conduite pour enfin réaliser que la décence – le respect de moi-même et des autres – a bien meilleur goût.

Vouloir et savoir discerner entre ce qu'il faut accepter et ce qu'il faut rejeter pour prendre vraiment soin de soi et des autres apporte non seulement la tranquillité de l'esprit mais aussi une sorte de confiance en soi. On se sent propre et la vie est certainement moins compliquée.

L'entraînement à la décence se retrouve donc au cœur de la formation des moines et des nonnes. Il prend la forme, entre autres choses, du respect d'un certain nombre de règles de conduite que l'on retrouve dans le *Vinaya*, le code de la discipline monastique bouddhiste.

Bon, je t'entends déjà ronchonner. La discipline, comme le renoncement, n'est pas un mot très populaire. Ici encore, je t'invite à réfléchir, à aller au-delà de ton premier mouvement de répulsion pour examiner ce que le terme recouvre. Si le renoncement peut être perçu comme un alignement vers le meilleur, la discipline, elle, permet de marcher sur nos deux jambes. Elle nous permet de réaliser nos objectifs.

Tu conviendras avec moi que, sans une certaine discipline, il est très difficile d'accomplir quoi que ce soit. Comme ancien artiste de cirque, tu connais la valeur de la discipline. Je t'ai vu trembler de peur et avoir envie de vomir avant de monter sur ton trapèze… et pourtant tu le faisais !

Tu savais que les répétitions quotidiennes faisaient partie de ta vie d'artiste et qu'il te fallait aller au-delà de ta peur si tu voulais produire un bon numéro. Sans discipline, tu n'aurais jamais réussi à faire un triple saut arrière pour retomber sur ton trapèze en mouvement, et ce, soir après soir pendant cinq ans !

Les moines et les nonnes choisissent librement de respecter certaines règles, sachant que la simplicité de la conduite crée des conditions favorables au développement de l'attention et de la vigilance, deux qualités essentielles pour le voyage passionnant de la découverte de soi dans l'ici et maintenant. Un esprit constamment agité ne peut certainement pas découvrir le calme naturel de l'esprit et choisir d'y reposer en lâchant prise du constant ronron mental.

Mais quelles sont ces fameuses règles de conduite dans un monastère bouddhiste et, surtout, comment peuvent-elles inspirer ton souci de décence? Pour répondre à ces questions, je dois te parler brièvement du *Vinaya,* mais surtout de ce que que j'appelle «les cinq façons de changer le monde».

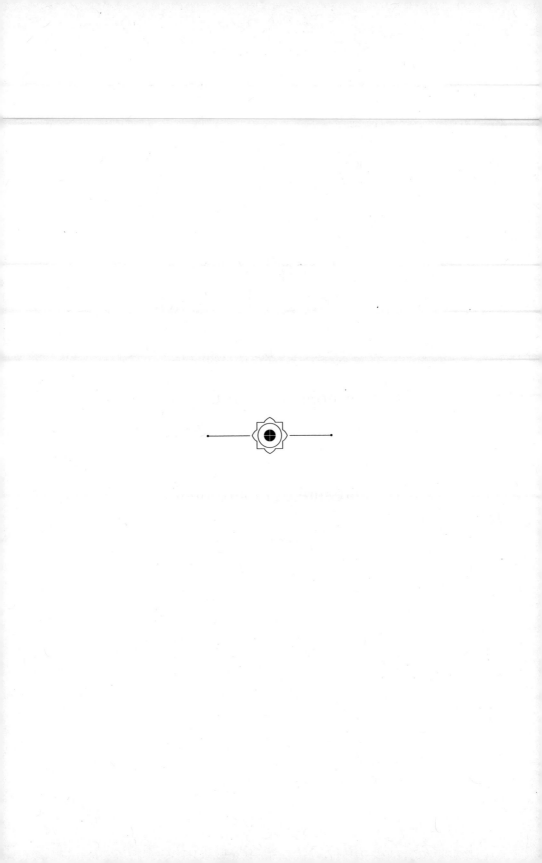

Cinq façons
de changer le monde

---◉---

« L'utopie ne signifie pas
l'irréalisable mais l'irréalisé.
L'utopie d'hier peut devenir
la réalité d'aujourd'hui. »

– Théodore Monod

Prince du Québec, roi de mon cœur,

Comme tu es curieux de nature, tu aimeras sans doute savoir que les règles du *Vinaya* – le code de conduite des moines et nonnes bouddhistes – ont été établies au cas par cas. Lorsqu'un problème d'ordre « moral » – petit ou gros – surgissait dans la communauté, le Bouddha édictait une règle. Ananda, son disciple très proche, les a toutes gardées en mémoire, ce qui est certes un exploit puisque le *Vinaya* contient plus de 253 règles pour les moines et 348 pour les nonnes. Elles ont été mémorisées et récitées pendant des années avant d'être finalement consignées dans un texte écrit. Aujourd'hui encore, elles continuent d'inspirer les diverses communautés monastiques bouddhistes à travers le monde qui les ont toutefois adaptées à leur culture et aux normes contemporaines.

Je te l'accorde, apprendre toutes ces règles et chercher à les appliquer semble effrayant et un peu excessif (!) mais, en réalité, elles ne sont qu'un long développement de cinq règles éthiques fondamentales dans la tradition bouddhiste.

Ces règles de base sont pratiquées non seulement par les moines et les nonnes mais aussi par les laïcs. Je pense à elles comme à cinq façons de changer le monde, car si bon nombre d'êtres humains en faisaient leur code de conduite, ce serait l'amorce d'une véritable révolution planétaire ! Utopie ? Peut-être. Mais comme l'affirmait Théodore Monod : « L'utopie ne signifie pas l'irréalisable mais l'irréalisé. L'utopie d'hier peut devenir la réalité d'aujourd'hui. »

L'expression du gros bon sens

Les cinq façons de changer le monde sont l'expression du gros bon sens. Je te les présente d'abord dans leur version laïque traditionnelle à laquelle je joins un commentaire personnel qui reflète la compréhension que j'en ai à cette étape de ma vie. Je t'invite à les contempler et à t'en inspirer, car je suis certaine qu'elles peuvent t'aider à mener une vie simple et heureuse.

1. Ne tue pas

Cette règle invite à respecter et à protéger la vie humaine qui est précieuse *en soi*. Prends donc soin de la tienne et de celle des autres. Soucie-toi des conditions qui assurent la vie sur cette planète. Évite même de tuer avec des mots. Les mots ont un immense pouvoir : on peut détruire l'énergie vitale d'une personne – son désir de vivre – avec des propos méprisants. Enfin, renonce à agir motivé par l'agression qu'elle prenne la forme du ressentiment, de la colère, de l'intolérance ou de la haine. Pas si simple, me diras-tu, et tu as raison. Si ce l'était, notre monde ne serait pas dans un si piteux état ! Aussi, dans mes prochaines lettres, je te présenterai des moyens concrets pour apaiser ton esprit, mais aussi pour nourrir l'amour et la compassion.

Même si, techniquement, le vœu est brisé uniquement si tu causes la mort d'un être humain, protéger la vie exige aussi d'inclure les animaux dans ta bienveillance. Si tu ne peux pas arrêter de consommer de la viande, continue au moins ta pratique des lundis sans viande. C'est un pas dans la bonne direction. Cesser de manger de la viande, ou tout au moins en manger peu souvent, est un geste concret pour protéger la vie, mais aussi un moyen efficace de ralentir le réchauffement climatique et de diminuer la pollution. Cela, nous pouvons le faire.

2. Ne vole pas

Abstiens-toi de prendre ce qui n'est pas offert. Cela comprend les possessions des autres, leurs idées, leur réputation et même leur intimité. Au monastère, le respect de ce précepte allait jusqu'à éviter de « voler le silence » des autres.

Apprécie ce que tu possèdes et prends soin de tes choses. Sois attentif à l'avidité qui amène à vouloir toujours plus et pratique le contentement. Rappelle-toi que *ce vouloir toujours plus* est savamment exploité par une minorité qui s'emploie à nous convaincre que nous serions tellement plus heureux, plus complets, si seulement nous avions ce beau bijou unique ou cette montre dernier cri. N'hésite pas à t'indigner, sans pourtant recourir à l'agression, devant ce que Matthieu Ricard appelle « l'égoïsme institutionnalisé[*] » qui n'hésite pas à piller, à détruire ou à corrompre notre patrimoine commun : l'eau, l'air, la terre.

3. Évite l'inconduite sexuelle

Laisse l'amour et le respect guider tes relations avec les autres et ta vie sexuelle. Sache que l'amour est en toi. Il est toi. Ton partenaire et tes amis ne font que te le révéler à toi-même. Dans un poème sur la solitude, Chögyam Trungpa a écrit : « Aime et sois compatissant mais ne te fie pas[**]. » Il voulait dire

---

[*] Matthieu Ricard, *Ibid.* p. 545.
[**] *Ne te fie pas*, poème non publié de Chögyam Trungpa traduit de l'anglais par Marjolaine Robert.

aime, mais ne t'accroche pas, ne laisse pas ton bonheur dépendre d'une autre personne. Aime sans attendre que l'autre te sauve de toi-même et de la solitude. Aime, mais n'abuse pas. Ne te laisse pas prendre au piège du désir égoïste qui pourrait t'amener à vouloir «dévorer» l'autre, le changer, le posséder, le contrôler.

4. Dis la vérité

Sois franc et honnête envers toi-même et les autres. Sache reconnaître tes forces et tes faiblesses, sans prendre ni les unes ni les autres trop au sérieux! Ainsi, tu pourras demeurer humble et regarder tes erreurs avec un brin d'humour.

Sois vrai. Ne te cache pas derrière un masque de perfection. Écarte la tentation de cacher ou d'omettre des faits pour préserver ton image ou obtenir ce que tu désires. Souviens-toi que la manipulation est un mensonge et que la fausseté – quelle qu'en soit la forme – mine la confiance des autres. Quand ils sont vrais et utiles, prononcés au bon moment et de la bonne manière, les mots sont précieux. Ils aident à voir clairement et ils créent des liens.

5. Abstiens-toi de consommer des substances toxiques

Traditionnellement, ce précepte interdit l'alcool et les drogues afin de préserver vigilance et capacité de discernement. L'idée, c'est de garder un esprit clair afin de comprendre la nature réelle des choses. Tu sais comme moi que l'alcool et les drogues sont à l'origine de plusieurs problèmes sociaux: accidents de la route, violence familiale, querelles entre amis, maladies et, bien sûr, la dépendance avec toutes ses conséquences. En même temps, l'alcool peut faire partie des petits plaisirs de la vie. Parfois, il peut même aider à dissoudre les barrières entre soi et les autres. Si tu décides de boire, fais-le avec modération en appréciant la saveur de chaque gorgée. Débusque la tentation parfois inconsciente de fuir dans l'oubli et l'ignorance.

Tu sais, lorsque nous demeurons «branchés» sur notre bonté inhérente, nous pratiquons tout naturellement les cinq façons de changer le monde, mais nous manquons parfois de loyauté envers notre santé fondamentale. Nous oublions que nous sommes le ciel – un cœur noble et intelligent – et nous devenons obsédés par la température – nos pensées, nos émotions. Alors, notre esprit devient confus et dominé par diverses formes de négativité. Dans ces moments-là, des sentiments comme la jalousie et la colère dictent notre conduite.

C'est alors que les cinq façons de changer le monde peuvent nous être utiles, car elles aident à ne pas perdre pied. Elles sont comme un miroir qui nous reflète constamment notre état d'esprit et nos choix. Vivre en accord avec elles est un constant rappel de ne pas oublier qui nous sommes *réellement* au-delà des moments de confusion temporaire.

Patience et
longueur de temps…

———◈———

« La seule chose qui change
le jour de votre ordination,
c'est votre coupe de cheveux ! »

– Khandro Rinpoché

Cher, très cher fils,

Pendant neuf ans, j'ai eu le privilège de vivre à l'abbaye de Gampo au sein d'une communauté dont les membres partageaient une même intention – soit l'ouverture de l'esprit et du cœur – et qui avaient choisi de créer ensemble un climat propice à l'éveil, une petite société éveillée comme on dit dans Shambhala. Tu le sais, car j'ai eu la faiblesse de m'en plaindre parfois, cette communauté n'était pas parfaite. Il y avait des heurts et des maladresses comme dans toute société humaine. Toutefois, dans les moments d'égarement, les préceptes auxquels nous adhérions tous étaient la boussole qui nous remettait sur la voie du respect de notre dignité et de celle des autres.

Je crois t'avoir déjà parlé de cette nonne âgée qui ne m'appréciait pas vraiment. Le moins que l'on puisse dire, c'est que nous n'avions pas d'atomes crochus. Il lui arrivait parfois d'être mesquine. Elle avait aussi tendance à me juger très négativement et, malgré tous mes efforts, je trouvais rarement grâce à ses yeux. Pourtant, les souvenirs que je garde d'elle ne sont pas ses indélicatesses, mais bien la rigueur de sa pratique et son humilité.

Ainsi, il est arrivé plus d'une fois qu'elle vienne frapper à ma porte, alors que j'étais déjà au lit, pour s'excuser d'un mot dur ou dénigrant. Je savais alors qu'elle venait de terminer l'examen de sa journée et qu'elle ne voulait pas se coucher sans avoir réparé son erreur et retrouvé la paix de l'esprit. Son geste était un magnifique présent, car il faisait fondre en moi toute velléité de nourrir la rancune.

L'abbaye n'est pas le seul endroit au monde où une telle communauté d'intention existe, et je me dis qu'il faut multiplier ces petits îlots de décence, que ce soit dans notre famille, au travail ou dans les organisations où nous sommes. La bienveillance est contagieuse, j'en suis convaincue. C'est avec cette arme que nous pouvons créer de nombreuses petites sociétés éveillées.

Une intention bienveillante

Si tu t'inspires des cinq façons de changer le monde pour guider ta vie, tu vas réaliser très vite que les choses ne sont ni noires ni blanches et qu'il est parfois très difficile de savoir quel comportement choisir même dans les situations les plus simples comme celle-ci : « Jeannette m'irrite au plus haut point avec sa face de carême ! Dois-je lui dire franchement ce que je ressens ou est-ce préférable de lui laisser de l'espace en essayant de comprendre ce qui l'amène à toujours avoir une tête d'enterrement ? »

~ ~ ~

La bienveillance est contagieuse, j'en suis convaincue.

~ ~ ~

Il n'y a jamais de réponse toute faite à ce genre de question, et encore moins dans le cas de problèmes infiniment plus complexes. Aussi, pour guider ta conduite, prends le temps d'examiner ton intention et assure-toi qu'elle demeure bienveillante, même quand tu dois prendre des décisions, dire des choses et faire des gestes qui peuvent blesser – comme congédier un employé ainsi que tu as dû le faire récemment ! Prends également le temps de réfléchir aux résultats de tes décisions et de tes actions.

Vois-tu, Xavier, si tu affines la vigilance de ton esprit, elle deviendra très précise et tu seras toujours au fait de ce que tu penses et ressens. Cela te sera très utile pour agir de façon intelligente et appropriée. En même temps, ce sera parfois pénible parce que cela t'obligera à regarder tes squelettes dans le placard, ce qui n'est pas toujours agréable. Reconnaître en soi les épisodes de nombrilisme, les bouffées d'orgueil, les tourments de la jalousie ou d'une passion obsessive, la chaleur du poison de l'aversion, l'ambition, ou tant d'autres émotions ou habitudes que l'on juge plus ou moins recommandables, cela demande un certain courage.

Je sais que tu as ce courage, car tu m'en as souvent donné la preuve. Ne trouves-tu pas qu'avec le temps on finit par apprécier l'aventure de la vigilance? On a le sentiment d'avoir un certain pouvoir sur sa vie. On s'offre constamment la liberté de choisir le comportement le plus approprié plutôt que d'être l'esclave de notre impulsivité, de nos habitudes nuisibles, de nos idées toutes faites et de nos opinions arrêtées.

Avec le temps, les préceptes – si on les garde *vivants* et si on les pratique avec intelligence et souplesse – se gravent dans notre cœur, si bien qu'il nous arrive parfois de les respecter même en rêve!

La pratique des cinq façons de changer le monde a simplifié ma vie et l'a profondément transformée. Je pense même qu'elle l'a prolongée. J'ai cessé de fumer. Je n'ai plus jamais eu à me remettre d'une gueule de bois. J'ai appris à nourrir des sentiments positifs et j'ai renoncé à me complaire dans certaines émotions négatives comme l'insatisfaction, l'envie, le ressentiment, le cynisme ou le découragement – ce qui est excellent pour l'estomac, le foie et le cœur! J'ai certainement perdu du poids… sur les épaules et j'ai moins souvent à m'excuser! J'ai commencé à apprécier ma propre compagnie et je veux croire que les autres me trouvent un peu plus facile à vivre!

Patience et longueur de temps…

Laisse-moi toutefois te mettre en garde : que l'on soit moine ou laïc, quand on s'engage sur une voie spirituelle il ne faut pas s'attendre à des transformations radicales en un seul jour.

Lors d'une de ses visites à l'abbaye, Khandro Rinpoché – la seule femme tibétaine que je connaisse qui assume une position d'enseignante en Occident – nous a dit : «La seule chose qui change le jour de votre ordination, c'est votre coupe de cheveux!» C'était drôle et tellement juste! Comme pour le vin, ça prend des années avant de faire une bonne nonne! Toute une vie et peut-être plusieurs… Quand j'ai pris mes premiers vœux, j'avais bien besoin d'entendre cela. Et encore aujourd'hui, quand il m'arrive de céder à l'irritation ou de manquer de générosité! Il est relativement facile de modifier son apparence, mais l'esprit est en général plus réfractaire au changement. À force d'être répétées depuis des années, sinon des vies, certaines de nos habitudes nuisibles semblent ancrées si profondément qu'elles paraissent indéracinables. Voilà pourquoi, sur la voie de l'éveil, la patience et la douceur sont de mise.

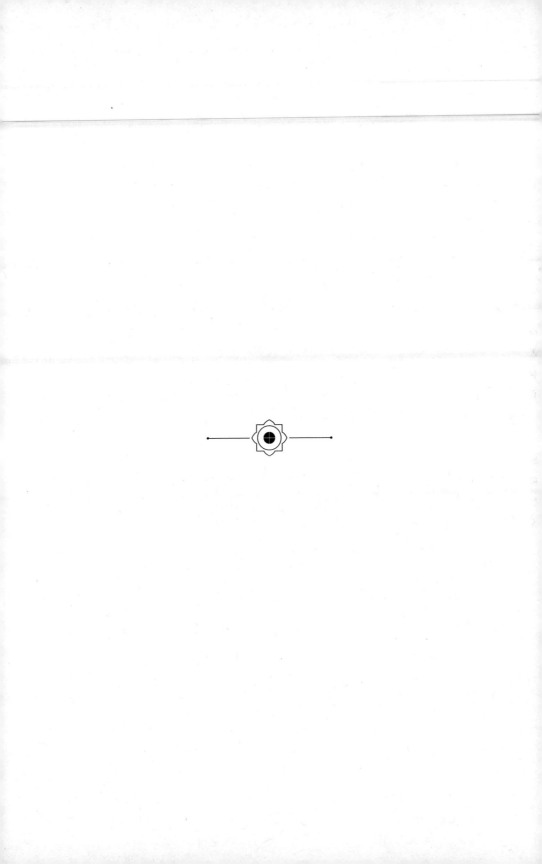

Un nouveau départ

« Laissez le regret percer votre
cœur une seconde, le temps
de mesurer la portée de vos actes
et de nourrir le désir de ne plus
refaire la même erreur, puis
allez de l'avant ! »

– Ani Pema Chödron

Cher fils unique et préféré,

Le Bouddha, tu t'en doutes, était un excellent pédagogue. Il avait compris que lorsqu'on tente de modifier une habitude, quelle qu'elle soit, il arrive très souvent qu'on rechausse nos vieilles bottines. Aussi, a-t-il institué la cérémonie de *posada* – ou *sojong* en tibétain – pour remonter le moral des troupes !

Le mot *posada* signifie « renouveler, nourrir et garder ». La cérémonie de *posada* a lieu deux fois par mois. Elle est l'occasion pour les moines et nonnes de renouer avec leur passion de l'éveil et de prendre un nouveau départ en laissant derrière eux erreurs et doutes.

La veille de la cérémonie, dans la soirée, toute la communauté se réunit. Il y a d'abord un moment consacré à l'introspection, une pratique fondamentale dans une démarche spirituelle. C'est elle qui permet des percées importantes dans le cocon que nous avons tissé pour éviter l'expérience du cœur tendre, de la vulnérabilité que l'on ressent parfois lorsqu'on baisse la garde, complètement ouvert à nos sens et sensible à la clarté et à la douceur qui nous habitent.

~ ~ ~

Renouer avec la passion de l'éveil et prendre un nouveau départ.

~ ~ ~

Les quatre R

Pour pratiquer l'introspection, tu peux utiliser ce qu'Ani Pema appelait « les quatre R : le regret, le refuge, la résolution et le remède ». Voici comment tu peux appliquer cette pratique.

Le regret

Lorsque tu prends conscience d'une erreur ou d'une habitude · nuisible, prends le temps de réfléchir en quoi elle est nuisible, à toi ou aux autres. Laisse un peu d'espace au regret.

Je dis bien un peu d'espace et pas plus! Le regret est utile parce qu'il nous motive à vouloir comprendre les causes et les effets de nos actes. Toutefois, si tu te sers de cette émotion profondément humaine pour te taper sur la tête, cela devient contre-productif. Ani Pema nous disait: «Laissez le regret percer votre cœur une seconde, le temps de mesurer la portée de vos actes et de nourrir le désir de ne plus refaire la même erreur, puis allez de l'avant!»

Dans une culture comme la nôtre qui met tellement l'accent sur nos manques, ou pire, sur notre prétendue indignité originelle, un tel conseil s'avère éminemment précieux.

Le refuge

Le refuge est en fait un simple rappel. Souviens-toi simplement que ta véritable nature est sagesse et compassion. Tes erreurs – même les plus abominables – n'affectent en rien cette nature profonde. Elles sont passagères, «lavables», disait Chögyam Trungpa. Là, tout de suite, le temps d'un battement de paupières, tu peux te remettre en selle parce que ta capacité d'ouverture et de tendresse est toujours présente, toujours accessible.

La résolution

Raffermis ensuite ton désir d'être loyal à ta véritable nature. Prends la ferme résolution de rester branché sur le cœur tendre et l'ouverture.

Le remède

Enfin, réfléchis aux moyens de réparer les dégâts que ton erreur a pu causer ou pense aux moyens qui pourraient t'aider à modifier ton comportement. C'est le remède. Le remède, ce peut être s'excuser lorsqu'on a blessé quelqu'un ou encore remettre l'objet qu'on a «emprunté» un peu trop longtemps!

Il n'est jamais trop tard pour réparer une erreur. Quand j'étais adolescente, je volais des cennes noires dans le petit cochon de ma jeune sœur pour m'acheter des cigarettes. Il y a quelques années, pour son 50e anniversaire, je lui ai offert un nouveau petit cochon qui contenait 50 dollars en pièces de dix cents. Je lui remettais ses cennes noires avec les intérêts! Ma sœur avait peut-être oublié cet incident, moi non. Rembourser cette vieille dette m'a fait du bien.

~ ~ ~

Il n'est jamais trop tard pour réparer une erreur.

~ ~ ~

Le remède, ce peut être aussi s'efforcer de voir les qualités d'une personne qui nous irrite au plus haut point! Si tu observes ton esprit, tu peux constater qu'il est impossible d'avoir deux pensées opposées au même moment. Tu ne peux pas aimer et haïr en même temps. Ainsi, si tu t'entraînes à nourrir l'appréciation plutôt que de voir uniquement les défauts de quelqu'un qui t'énerve ou qui t'a blessé, ton aversion va diminuer inévitablement.

Néanmoins, le meilleur remède consiste toujours à réaliser la nature éphémère et sans substance des émotions difficiles et à lâcher prise. Je reviendrai là-dessus dans quelques-unes de mes lettres[*], mais je peux te dire tout de suite que c'est la

---

[*] Voir la *Lettre 19*, la *Lettre 21* et la *Lettre 23*.

méditation qui nous permet de développer l'absolue certitude que nous ne sommes pas nos émotions. De fait, méditation et décence vont de pair. La *simplicité de la conduite* facilite le calme mental nécessaire à la méditation. La méditation, pour sa part, renforce notre capacité de lucidité et de discernement, en plus de nous aider à regarder nos travers avec bienveillance et un brin d'humour. Elle est l'ultime simplicité, celle du lâcher-prise de nos ronrons habituels.

Quand, la veille de *posada*, l'introspection est terminée, il y a un moment consacré au partage. La communauté se divise en petits groupes et on peut alors choisir de communiquer notre réflexion aux autres. Toutefois, nul n'est obligé de parler.

Durant les premières années au monastère, je n'aimais guère ce moment : l'ancienne catholique en moi avait gardé un goût amer de la confession obligatoire et de tout ce qui s'en rapprochait. Avec le temps, j'ai appris à apprécier ces échanges. Cela me réconfortait de voir que je n'étais pas la seule à me colleter avec de vieux démons. C'était touchant aussi d'entendre les confidences de mes sœurs sur leurs difficultés. Quand je comprenais qu'elles en étaient conscientes, cela m'aidait à pardonner et à supporter leurs travers. J'imagine qu'il en était de même pour elles. Enfin, j'en profitais pour m'excuser des torts que j'avais causés.

Faire peau neuve

La belle cérémonie de *posada* a lieu le lendemain de la soirée d'introspection. Elle vient sceller notre intention de prendre un nouveau départ. C'est l'occasion pour les membres de la communauté monastique de se retrouver et de se rappeler collectivement leur aspiration à l'éveil ainsi que les préceptes qui guident leur vie. *Posada* me faisait toujours le plus grand bien. J'avais *physiquement* l'impression de faire peau neuve et de retrouver l'énergie qui nous habite tous quand on est en harmonie avec notre véritable nature.

Comme je te l'ai déjà mentionné dans ma lettre sur les petits moments d'éveil*, dans Shambhala on appelle cette énergie «le cheval du vent». C'est un sentiment de plénitude qui non seulement nous apaise, mais qui nous donne aussi la force de faire face à tous les défis et de surmonter les obstacles de notre vie. Depuis mon retour à Montréal, je vis seule. Je n'ai donc pas l'occasion de pratiquer *posada* en communauté et cela me manque. Par contre, je suis fidèle à *la revue de la journée,* l'introspection quotidienne, une simple pratique que je te conseille grandement d'intégrer dans ta vie.

Voici comment je procède : j'inclus simplement dans mon rituel du coucher un court moment de réflexion pour revisiter mes actions de la journée. J'essaie d'être aussi précise que possible. Je prends d'abord note de mes bons coups et je m'en réjouis. Puis, je ramène à ma mémoire les pensées, les actions ou les paroles qui me restent dans la gorge ou qui pèsent sur mon cœur.

Je me permets une seconde de regret et je lâche prise. Je me rappelle mon potentiel de sagesse et de tendresse qui s'exprime entre autres dans mon effort d'authenticité. Puis, je me promets de faire mieux le lendemain.

Je m'endors ensuite rapidement, sans souci… et sans somnifères !

---

* Voir la *Lettre 2*.

La sagesse du tigre

« Tout le malheur des hommes
vient d'une seule chose qui est
de ne pas savoir demeurer
en repos dans une chambre. »

— Blaise Pascal

Cher Xavier,

Bon, bon, bon… voici la lettre que tu attends avec impatience ! Oui, je vais enfin parler de la méditation et si tu devais garder une seule des lettres que je t'écris, j'aimerais que ce soit celle-ci, car c'est elle qui te sera le plus utile.

Le véritable dépouillement

Ralentir et simplifier sa façon de vivre est certainement une excellente chose, mais ce qu'on recherche tous au fond, consciemment ou non, c'est le dépouillement de l'esprit, la paix ou la simplicité intérieure.

On peut mener une vie très sobre et paisible avec un esprit constamment distrait, préoccupé et même tourmenté. J'en sais quelque chose ! J'ai vécu pendant neuf ans la simple routine monastique et je me suis efforcée de me conduire avec le souci constant de la décence.

Pourtant, durant ces années, j'ai connu des jours sombres. Beaucoup de gens s'imaginent qu'un monastère est un havre de paix où tout baigne toujours dans l'huile. Bien sûr, ce n'est pas le cas ! Parfois, mon esprit était dominé par la frustration qui accompagne les compromis inévitables de la vie communautaire, la tristesse causée par l'incompréhension ou la solitude et l'angoisse liée à la maladie. Alors tout devenait difficile : ma pratique, le travail, l'étude et mes relations avec les autres. J'avais même peine à m'endurer ! Tu le sais, quand l'esprit est encombré, rien n'est simple.

Heureusement, l'inverse était aussi vrai : lorsque j'étais à mon affaire, pleinement attentive à ce que je ressentais, à ce que j'avais à faire ou à ce qui arrivait, moment après moment, je demeurais tranquille et confiante même au cœur du chaos et des défis.

Je crois que tu comprends cela. J'ai assisté au moins quatre fois à ton numéro de trapèze dans le spectacle *Alegría*. Chaque fois, je retenais mon souffle et j'avais le cœur dans les pieds. Quand je t'ai confié à quel point te voir faire des acrobaties à 15 mètres du sol me rendait nerveuse, tu m'as répondu : « Mais maman, tu ne devrais pas t'inquiéter. Je me sens très bien quand je suis sur mon trapèze. C'est même le moment de la journée où je me sens le mieux. Je ne pense à rien et *je suis complètement là !* »

Comme tu le sais, à l'abbaye, j'ai eu la chance de rencontrer quelques grands maîtres spirituels. Leur seule présence témoignait de la force et du contentement de l'esprit qui ne s'attache à rien. Ainsi, le Vénérable Thrangu Rinpoché, l'abbé du monastère, a des journées extrêmement chargées. Il se lève très tôt pour pratiquer la méditation. Puis, il s'occupe de diverses affaires et des nombreux projets humanitaires dans lesquels il est engagé. Il enseigne aux moines, aux nonnes et aux visiteurs. Il reçoit des gens jusque tard le soir. Pourtant, cet homme – qui a près de 75 ans – n'a jamais l'air pressé ni stressé.

À Sarnath, en Inde, où il m'a conféré l'ordination de novice en 2003, il prend le temps de circumambuler* autour de son monastère en s'arrêtant devant chaque personne qu'il ren-

---

* La circumambulation est une pratique courante dans le bouddhisme tibétain. Le pratiquant marche dans le sens des aiguilles d'une montre autour d'un stûpa ou d'un monastère, en général en récitant des mantras ou des prières d'aspiration pour le bonheur de tous les êtres doués de sensibilité.

contre pour lui offrir un sourire. Et quand on lui demande pourquoi il sourit à tout le monde, il répond : « Parce que ça rend les gens heureux ! » Le secret de Rinpoché ? Il vit dans l'instant, il a complètement apprivoisé son esprit et il n'a aucun autre but que celui-là : rendre les gens heureux.

Tu ne cherches peut-être pas à devenir un grand maître spirituel, mais je suis certaine que, comme bien des gens, tu aimerais avoir une plus grande maîtrise de ton esprit. Dans ce cas, la méditation est certainement ton meilleur outil.

De nos jours, on parle beaucoup de la méditation. Diverses pratiques visant à calmer l'esprit, à réduire le stress, à développer la concentration sont maintenant enseignées dans les écoles, les hôpitaux, les universités, les prisons et même dans les entreprises : c'est le cas chez Google et Apple, où les employés ont la possibilité de méditer sur leur lieu de travail. C'est une très bonne chose, et j'espère que ce mouvement va prendre de l'ampleur. Dans notre culture, on souffre presque tous d'un petit déficit d'attention pour lequel la méditation pourrait certainement améliorer les choses !

Le Dalaï-Lama disait que si on apprenait aux enfants à méditer dès l'âge de 8 ans, on mettrait fin aux guerres en une seule génération ! On diminuerait aussi la consommation de Ritalin, ce médicament pour calmer les enfants agités dont l'utilisation serait, semble-t-il, en croissance. Un entraînement précoce à l'attention et à la vigilance ferait d'eux des humains qui s'apprécient eux-mêmes, qui ne sont plus à la merci de leurs états d'âme, qui respectent les autres et prennent soin de leur monde.

Apprivoiser son esprit

De nombreuses études menées par des praticiens en neuro-sciences[*] viennent confirmer ce que moines et nonnes boud-dhistes savent depuis plus de 2500 ans : pratiquer régulièrement la méditation dite de tranquillité – ou *shamatha* en sanskrit –, ne serait-ce que 20 minutes par jour, a des effets bénéfiques sur la santé du corps et de l'esprit. Le plus grand bienfait de cette méditation est certainement la possibilité de calmer l'esprit, de l'apprivoiser ou de le connaître et de s'en faire un allié[**] pour mener une bonne vie. Mais qu'est-ce que ça veut dire « apprivoiser son esprit » ?

Le mot tibétain pour méditation est *gom*. *Gom* veut dire « se familiariser », « devenir familier avec ». Avec quoi devient-on familier ? Avec le moment présent.

Avec la méditation de tranquillité, tu entraînes ton esprit vaga-bond à demeurer attentif et vigilant, ici et maintenant. Plus ton esprit est attentif et vigilant, plus tu apprécies la vivacité et la variété de tes perceptions sensorielles. Ta concentration est aussi meilleure et tu peux effectuer diverses tâches avec préci-sion et en moins de temps. Tu es plus présent aux autres et tu peux mieux déceler leurs sentiments et leurs besoins. Enfin, lorsque ton esprit est bien « entraîné », il est plus clair, plus fort, plus stable émotivement, moins réactif. Il se fatigue

---

[*] Matthieu Ricard fait largement état de ces recherches dans son livre *Plaidoyer pour l'altruisme*.

[**] Le Sakyong Mipham Rinpoché a écrit un livre sur la méditation qui s'intitule *Transformer son esprit en allié*. Pour obtenir la version française, il faut s'adresser au Centre Shambhala de Montréal sur le Web ou autrement. La version anglaise intitulée *Turning the Mind into an Ally* est offerte chez les grands réseaux de distribution.

moins, il peut mieux gérer les situations éprouvantes et il est plus créatif.

Il est impossible de fuir son esprit

Jusqu'ici, comme tu peux le constater, cela n'a rien à voir avec la religion. Méditer quotidiennement contribue simplement à une saine hygiène de l'esprit, comme l'exercice physique contribue à celle du corps.

Toutefois, la nonne bouddhiste que je suis utilise la méditation de tranquillité comme moyen par excellence pour développer les qualités nobles de l'esprit et suivre les traces du Bouddha sur le chemin de l'éveil. En effet, le calme mental est absolument essentiel pour pratiquer certaines disciplines spirituelles comme l'introspection, la contemplation de vertus comme l'amour et la bienveillance, diverses investigations sur la nature même de l'esprit et la réalisation directe de son potentiel de lucidité, d'ouverture, d'amour et de compassion. C'est plein de bon sens, ne trouves-tu pas ?

Acquérir stabilité et clarté de l'esprit grâce à la méditation de tranquillité est donc très important pour quiconque désire faire une place à la spiritualité dans sa vie.

Voilà pourquoi, à l'abbaye, tous les résidents – moines et laïcs – passent au moins quatre heures par jour sur le coussin et tous les dimanches sont des jours de retraite. Le monastère est alors complètement silencieux et la journée entière est consacrée à la méditation.

Tous ont également la possibilité de faire au moins une retraite personnelle par année dans un des petits ermitages disséminés sur le domaine du monastère. Je ne ratais jamais cette occasion.

En fait, j'ai choisi de devenir nonne parce que la voie monastique m'offrait la possibilité de consacrer une bonne partie de mes journées à la méditation. Quand je suis partie, je ne savais pas grand-chose, mais j'avais appris au moins ceci : quand on est malheureux, on peut changer de *chum,* de *job,* de maison ou de pays, mais il est impossible de fuir son esprit. Si on veut vraiment goûter et apprécier sa vie, il faut donc entrer en relation avec cet esprit, avec curiosité et bienveillance. On peut alors l'entraîner à collaborer à notre bonheur et à notre éveil !

~ ~ ~

Quand on est malheureux, on peut changer de chum, *de* job, *de maison ou de pays, mais il est impossible de fuir son esprit.*

~ ~ ~

Avant de partir au monastère j'étais tristement célèbre parmi mes collègues et amis pour mon habitude de « chialer » et mon indécrottable insatisfaction. Comme bien des gens dans nos pays d'abondance, j'avais tout, mais ce n'était jamais assez. Quand on me demandait : « Comment ça va ? », je répondais toujours : « Bien, mais… » C'est ça l'insatisfaction : il y a toujours un « mais » ! Cela dénote un manque d'appréciation et de gratitude.

En m'entraînant à lâcher prise de mes pensées pour revenir constamment au moment présent, je me suis offert des moments de plus en plus fréquents de profond contentement. Je parle ici de ce sentiment de plénitude inconditionnel qui naît d'une attention précise et constante aux choses telles qu'elles sont. Voilà la sagesse du tigre.

Un jour, j'ai demandé à Ani Pema ce que ça voulait dire « les choses telles qu'elles sont ». Elle m'a répondu : « Eh bien, quand tu te promènes sur un chemin, tu ne vois pas "un chemin", mais chaque petit caillou et chaque petit brin d'herbe... Le chemin n'est plus un concept, *tu es le chemin !* »

Tu souhaitais peut-être que je t'enseigne tout de suite comment méditer, mais je trouve important de t'expliquer les bienfaits de la méditation. Mieux on comprend pourquoi on fait les choses, plus on est motivé à les faire. Trop de gens s'initient à la méditation et abandonnent rapidement, souvent parce qu'ils ne comprennent pas vraiment ce qu'est la méditation et pourquoi il est si bon de méditer.

Beaucoup aussi espèrent un résultat rapide. Or, méditer, ce n'est pas un *quick fix*. Comme je te l'ai déjà dit, c'est plutôt développer l'art d'être humain, soit une nouvelle façon d'entrer en relation avec soi et le monde. Le succès de notre pratique dépend, entre autres choses, de la clarté et de la fermeté de notre motivation. Il dépend aussi de notre fidélité qui, comme tu le sais, est associée à l'amour. Oui Xavier, on peut aimer ralentir, s'asseoir en silence et simplement être... un humain attentif à tout ce qui surgit dans son esprit, sans s'attacher à rien.

Si tu désires méditer, le mieux serait que tu rencontres un instructeur. Il existe de nombreux livres et vidéos sur la méditation, mais il est toujours préférable de recevoir une instruction de la part d'un enseignant qualifié* et d'être accompagné. Dans Shambhala, on considère l'instruction comme une transmission. Depuis plus de 2500 ans, du Bouddha à ses disciples, de ses disciples à leurs élèves, et cela au fil des siècles, le même précieux enseignement est transmis fidèlement !

---

* Le Centre Shambhala de Montréal offre des soirées d'introduction à la méditation. Il n'y a aucun préalable. Le Groupe Shambhala Québec offre également des soirées d'introduction. Les gens de toutes traditions sont bienvenus et les gens qui n'appartiennent à aucune tradition également ! Sur YouTube, le Sakyong Mipham Rinpoché offre une brève instruction en français et une autre plus longue en anglais. Il suffit d'écrire «Sakyong Mipham Rinpoché» dans la fenêtre du moteur de recherche pour avoir accès à ces causeries. Ça vaut la peine de le voir et l'entendre.

L'esprit est roi

« L'esprit est roi. Le monde
est créé par l'esprit. Si on parle
ou si on agit avec un esprit
tourmenté, la douleur suit comme
la roue le sabot du bœuf ! »

— **Bouddha Shakyamuni**

Alors cher Xavier...

Je serai fidèle à la tradition de Shambhala et, plutôt que de te transmettre formellement une instruction par écrit (!), je vais te donner une petite idée de ce que pourrait avoir l'air une session de méditation.

Un souffle à la fois

Alors, imagine que tu es installé dans un endroit où tu es seul et tranquille. C'est peut-être le matin, car c'est un bon moment pour méditer. L'esprit est en général frais et dispos.

Tu as maintenant 15 minutes pour entrer en amitié avec toi-même avant d'aller travailler. De 10 à 15 minutes pour commencer, c'est très bien. Si tu veux en faire trop, tu vas te décourager. Chose certaine, il vaut mieux méditer 15 minutes par jour régulièrement – peu importe le moment de la journée – que de méditer trois heures, une fois par semaine! C'est la régularité qui est transformatrice. Pour ne pas avoir à te soucier du temps, tu peux programmer ton cellulaire ou un simple réveille-matin. Si tu le souhaites, tu peux allumer un bâton d'encens.

Tu es peut-être assis sur un coussin ou une chaise. L'un ou l'autre convient. L'important, c'est d'avoir une bonne posture. Assis sur une chaise, tu ne t'appuies pas sur le dossier, mais tu gardes le dos droit, sans rigidité. Tes pieds sont bien ancrés au sol. Les paumes de tes mains reposent sur tes cuisses. Ta tête est droite avec le menton légèrement rentré. Tes yeux sont ouverts et ton regard est déposé au sol sans rien fixer. Assis sur un coussin, les instructions sont les mêmes, sauf que cette fois tes jambes sont croisées. À l'indienne, c'est parfait.

Une fois bien en selle, tu prends quelques secondes pour te rappeler pourquoi tu médites. Tu prends le temps aussi de bien t'installer sur ton coussin ou ta chaise. Tu sens tes pieds au sol, le poids de tes fesses sur la chaise, le contact de tes mains sur tes cuisses. Tu vérifies s'il y a des tensions dans diverses parties de ton corps. Parfois, le simple fait d'amener ton attention sur elles peut aider à les dissoudre. Tu prends le temps d'entendre les sons, de humer l'odeur de l'encens. Tu peux même noter dans quel état d'esprit tu es. Es-tu fatigué, inquiet, irrité, triste ? Note ce que tu ressens, simplement, sans commenter et surtout sans juger.

Imagine ensuite que tu diriges ton attention sur ta respiration. Tu prends peut-être conscience que ton souffle est précieux. C'est ta vie. Chaque respiration est différente, alors tu apprécies chacune d'elles. Quand on apprécie, on est curieux, on est naturellement attentif.

~ ~ ~

On respire toujours au présent, jamais au passé ou au futur.

~ ~ ~

Pourquoi porter attention à ta respiration ? D'abord, parce que cette pratique favorise le calme mental. Rappelle-toi : quand je m'énerve un peu, tu me rappelles à l'ordre en disant : « Maman, respire par le nez ! » Toutefois, l'attention au souffle a une autre fonction : elle t'ancre dans le présent. On respire toujours au présent, jamais au passé ou au futur.

Alors tu portes attention au mouvement du corps qui respire et ça marche. Une respiration… deux… trois…

Puis, soudainement, tu te rappelles que ton ami Mario ne t'a pas remboursé l'argent qu'il te doit depuis plusieurs semaines.

Tu pourrais simplement noter cette pensée et revenir à ton souffle, mais ta vigilance fait un peu défaut et tu te laisses entraîner dans un ronron. «Quel manque de considération! Il promet de me rembourser, mais il ne le fait jamais. Il a toujours de bonnes excuses. Je ne peux vraiment pas lui faire confiance. Je vais lui téléphoner dès ce soir pour lui dire ce que je pense de lui!» Ron-ron-ron-ron.

Cette petite pensée devient rapidement toute une histoire qui t'obsède. Tu es maintenant en colère contre un de tes bons amis. Si tu n'étais pas assis sur une chaise en train de porter attention à ton expérience, tu prendrais peut-être le téléphone et, avec la colère qui t'habite, il se pourrait que la conversation dégénère en dispute. C'est ce que le Bouddha désire nous faire comprendre quand il dit: «L'esprit est roi. Le monde est créé par l'esprit. Si on parle ou si on agit avec un esprit tourmenté, la douleur suit comme la roue le sabot du bœuf!»

Mais, heureusement, tu es en train de méditer et tu sais que tu peux faire un choix. Tu peux continuer à ruminer ton grief ou simplement accueillir la sensation physique de la colère qui monte en toi – sans te juger, sans te blâmer – tout en renonçant à suivre tes pensées pour doucement revenir à ton souffle.

Bien sûr, la deuxième option est la bonne. Tu décides alors de retrouver ton ancrage: une respiration, deux, trois, etc. Et ça recommence! Une autre pensée surgit. Tu ne peux pas empêcher les pensées de surgir, mais tu n'es pas obligé d'y croire et de les suivre. Tu peux lâcher prise de nouveau. Tu as toujours le choix.

L'idée, c'est de «toucher» ou de noter la pensée qui surgit. Dès ce moment, tu es de nouveau présent et tu peux choisir de rester *ici et maintenant* avec ta respiration.

Attention, toucher, lâcher prise. Attention, toucher, lâcher prise.

Encore et encore.

Voilà l'essence même de la précieuse technique de *shamatha*, la méditation de tranquillité. Comme tu peux le constater, ce n'est pas la même chose qu'écouter la musique pour se calmer : une telle pratique nous apaise peut-être, mais elle ne nous entraîne pas nécessairement à faire des choix.

Au bout de 15 minutes, la sonnerie que tu as programmée sur ton téléphone portable t'informe que le temps est écoulé. Tu prends alors le temps d'apprécier ce que tu as fait, peu importe que tu aies été très distrait ou très attentif. Le seul fait de t'asseoir et d'avoir l'intention d'apprivoiser ton esprit est une bonne chose, car tu as semé en toi la graine d'un changement d'allégeance ! Tu as décidé de vivre pleinement.

Ta session terminée, tu t'engages dans ta journée avec le désir de demeurer présent, ouvert, curieux.

Ça ressemble à la liberté

Si tu poursuis ta pratique de la méditation régulièrement, tu vas réaliser que tout peut surgir dans ton esprit, le pire et le meilleur, car ton esprit peut tout accommoder. Tu peux fantasmer sur l'envie d'assassiner ton patron ou te rappeler avec une grande compassion qu'au moins 16 000 enfants meurent de faim ou de pauvreté chaque jour.

En méditation, toutes tes fantaisies, tes projets, tes soucis ou tes préoccupations ne sont que des pensées qui sont un peu comme des bulles à la surface d'une eau calme. Si tu ne t'accroches pas, si tu ne les suis pas, elles s'évanouissent sans laisser de traces. Alors, lâche prise en ramenant ton attention à la respiration. Il sera toujours temps plus tard d'avoir une bonne explication avec ton patron. Tu auras toujours le loisir de t'élever contre la corruption, les iniquités sociales et l'injustice. Et tu pourras d'autant mieux le faire que tu auras pris un certain recul. Ton action sera alors mieux informée et surtout moins réactive. Tu chercheras des solutions plutôt que de blâmer la personne qui te blesse ou de déverser ta colère sur elle, ajoutant ainsi à l'agression du monde malgré ton désir de paix et d'harmonie.

~ ~ ~

Alors,

lâche prise.

~ ~ ~

Vois-tu, le dépouillement de l'esprit est le résultat d'une suite de petits renoncements, ou plutôt de meilleurs choix qui finissent par opérer une transformation profonde dans notre vie et par influencer notre environnement de façon très positive.

Voilà la véritable absence de complexité et ça ressemble à la liberté. Comprends-tu pourquoi je tiens tellement à ce que tu médites?

= méditer

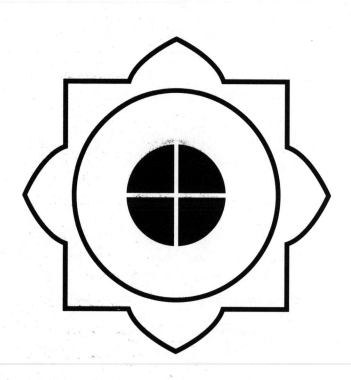

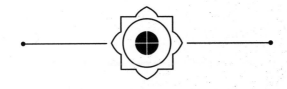

Et si on parlait d'amour ?

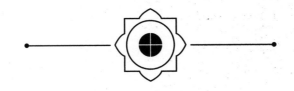

La maison des miroirs

« Ma religion, c'est l'amour. »

– Dalaï-Lama

Mon cher fils,

J'ai rencontré ton amie Hélène hier alors que je me promenais sur la rue Saint-Denis. Nous avons pris le temps de causer un peu et j'ai été ravie d'apprendre que tu lui fais lire les lettres que je t'envoie. J'en déduis que tu les trouves intéressantes et utiles, ce qui m'encourage à poursuivre.

Après un bref survol de mon expérience de la dignité du tigre dans mes quelques lettres sur la simplicité, je vais maintenant t'introduire à celle du lion, qui est la voie de l'amour inconditionnel et de la compassion envers tous les êtres doués de sensibilité.

Je dois commencer cette nouvelle série de lettres en te confiant une de mes erreurs de débutante, sans doute à mettre au compte de l'égoïsme et de l'orgueil. J'ai hésité à te parler de cette période de ma vie monastique, car je n'en suis pas trop fière. Après tout, qui aime exposer ses faiblesses? J'ose pourtant le faire, car les leçons apprises dans mes premières années de vie monastique sont extrêmement importantes.

Comme tu le sais, j'avais 50 ans lorsque je suis arrivée au monastère. Je laissais derrière moi une vie professionnelle et sociale un peu trop active, laquelle avait fait naître en moi un besoin presque maladif de calme, de silence et de solitude.

Bien sûr, j'espérais trouver tous ces ingrédients à l'abbaye. Je croyais d'ailleurs que j'allais vivre seule, dans une petite cellule sobre et dénudée, plongée tout au long du jour, ou presque, dans la méditation et l'étude! Rappelle-toi, je n'y avais jamais mis les pieds avant d'y atterrir...

Imagine un peu mon désenchantement : ma cellule de rêve était en fait une grande chambre que je devais partager avec deux autres femmes, aussi difficiles à vivre que je l'étais moi-même !

Mes deux compagnes ne souhaitaient aucunement prendre des vœux permanents. Elles étaient là pour quelques mois seulement et avaient tendance à tout prendre à la légère. Ainsi, elles pratiquaient peu, n'étudiaient pas autant qu'il le fallait et parlaient tard le soir alors que nous devions être en silence. De mon côté, je prenais tout trop au sérieux. Leur paresse et leur apparente frivolité m'irritaient tellement que j'avais peine à voir ma propre rigidité, mes jugements sévères à leur endroit et mon intolérance.

Bien sûr, il y avait beaucoup de temps pour la méditation et l'étude. Bien sûr, le noble silence était de mise une bonne partie de la journée, mais il y avait aussi la vaisselle, les tâches quotidiennes, les grandes corvées occasionnelles, les réunions du conseil monastique, les célébrations de la communauté, l'accueil des nouveaux résidents ou des visiteurs et, cela va de soi, différentes cérémonies. Toutes ces activités, impossibles à éviter, me semblaient des obstacles à la vie parfaite dont je rêvais.

Vois-tu, dans cette vie parfaite dont je rêvais, il y avait peu de place pour les autres. En réalité, j'ai peine à te dire cela aujourd'hui, mais ces autres avec qui je devais vivre me dérangeaient profondément. Pour être honnête avec toi, presque tout dans la vie communautaire m'irritait ! De fait, mes débuts à l'abbaye furent plutôt tristes.

Sans en avoir conscience, j'étais engagée sur une voie royale qui menait directement non pas à l'éveil mais à… la dépression ! Tu sais, on pense parfois se protéger en s'isolant des autres physiquement ou mentalement, mais c'est le contraire qui se produit. La fermeture du cœur est une petite mort dont on risque de payer le prix d'une manière ou d'une autre, que ce soit par une vie dénuée de joie et de sens, ou possiblement par la maladie.

Je n'avais pas encore compris que toutes nos activités – même les plus ordinaires – sont des occasions de développer une présence ouverte à l'instant et de dévoiler la tendresse infinie qui caractérise le cœur éveillé, ou *bodhicitta*, selon une expression consacrée dans la tradition bouddhiste. Cette tendresse, ou « cet amour qui ne meurt pas » comme dit Ani Pema dans son livre *Bien-être et incertitude*[*], est en effet une qualité innée du cœur humain. Toutes nos pratiques spirituelles n'ont d'autre but que de la laisser éclore.

~ ~ ~
La fermeture du cœur est une petite mort.
~ ~ ~

Je n'avais pas compris non plus que la vie spirituelle consiste non pas à ériger des barrières entre soi et les autres, mais bien à les démanteler. Or, pour abolir ces barrières, il faut d'abord les voir, et comprendre ce qu'elles sont. Pour ce faire, on doit absolument se frotter aux autres et au monde !

Comment prendre la pleine mesure de notre égoïsme, de notre arrogance, de notre jalousie ou de notre colère si on se coupe

[*] Ani Pema Chödron, *Bien-être et incertitude*, Paris, Table ronde, 2005, 223 p.

des autres ? Comment apprendre à aimer généreusement – sans attendre quoi que ce soit en retour – si on n'a pas mille occasions de s'ouvrir à ceux qui souvent nous indiffèrent, nous déçoivent ou nous font peur ? Comment célébrer la vie si on est incapable d'apprécier les multiples façons dont elle se manifeste non seulement en nous mais aussi chez les autres ?

L'abbaye est une maison de miroirs. Un miroir, c'est tout ce qui permet de renoncer à nos œillères et de voir enfin clairement comment on s'empêtre dans des habitudes nuisibles et parfois destructrices. Sans miroir, il est difficile de savoir à quoi il faut renoncer et ce qu'il faut cultiver pour découvrir et manifester notre bonté fondamentale. On risque fort alors de faire du surplace !

À l'abbaye, le miroir, c'était bien sûr la méditation quotidienne grâce à laquelle on apprenait à se connaître parfaitement, le silence qui permettait d'entendre notre vacarme intérieur, ou encore la pratique de nos règles qui révélait nos points aveugles, ces aspects de nous-mêmes que l'on ne voit pas. Mais c'était aussi la vie quotidienne avec les autres, sous leur regard parfois critique.

Dans la vie hors du monastère, le miroir peut être un événement inattendu qui ébranle l'image idyllique que l'on se fait de soi-même, un voyage au cours duquel on découvre certains de nos travers, un échec qui oblige à regarder nos faiblesses. Ce peut être aussi la remarque pertinente du conjoint ou d'un collègue qui souligne, par exemple, notre difficulté d'écoute ou le fait qu'on ne se précipite jamais pour servir le café ou laver la vaisselle… Enfin, certains obstacles dans nos vies – comme une rupture, une maladie, un accident, des critiques ou des déceptions – sont également des miroirs. Voilà pourquoi ils sont si intéressants, même si ça peut prendre un certain temps avant qu'on s'en rende compte !

Vois-tu, ces événements sont souvent révélateurs non seulement de nos immenses ressources, mais aussi de nos fausses sécurités, de nos résistances, de nos lâchetés et de nos limites. Ils sont également des invitations à sortir de notre cocon, à se voir tel que l'on est – pas toujours à notre meilleur –, et à développer ces qualités importantes dont on a déjà parlé, en particulier l'ouverture, la bienveillance, la patience et, pourquoi pas, la confiance et l'audace. Parfois, de simples contretemps – comme une file d'attente au cinéma, une pluie diluvienne un jour de congé ou un ami en retard à un rendez-vous – jouent le même rôle.

Histoire de vérifier si ce que je dis a du sens, prends le temps de passer ta vie en revue pour voir comment les difficultés que tu as rencontrées ainsi que tes relations – agréables ou difficiles – avec les autres t'ont permis de connaître des aspects de toi-même que tu ignorais et d'aller de l'avant avec des forces nouvelles.

Je sais que tu as pris conscience récemment de tes résistances à exprimer ton point de vue dans une réunion. « J'ai peur qu'on rejette mon opinion », m'as-tu dit, avant d'ajouter après un temps de réflexion, « au fond, je prends ça trop personnel et je ne devrais pas », ce qui est très juste. Je suis curieuse de savoir si tu as fait d'autres découvertes de ce genre…

La communauté,
ce « précieux joyau »

« Si tu veux être misérable,
pense seulement à toi.
Si tu veux être heureux,
pense seulement aux autres. »

— Shantideva

Cher Xavier,

Me revoici après quelques semaines de silence. Je vais reprendre là où nous nous sommes laissés, avec ce fameux thème des « autres ». Il y a tellement de choses à dire à ce sujet, n'est-ce pas ?

Les gens me demandent souvent ce que j'ai trouvé le plus difficile durant mes neuf années au monastère. Je réponds spontanément « la communauté ! » avant d'ajouter que c'est aussi la vie en communauté qui m'a été le plus profitable. L'immersion totale dans une communauté a grandement contribué à ce que je puisse mieux me connaître et entrer en amitié de façon inconditionnelle avec tous les aspects de moi-même, ce dont je te parlerai plus longuement bientôt, car c'est une grande affaire sur la voie spirituelle.

Grâce à la communauté, j'ai pu m'entraîner à la générosité qui partage, prend soin, console et rassure. En fin de compte, c'est vivre en communauté qui m'a permis de ressentir l'immense relaxation et la joie profonde que l'on éprouve lorsqu'on se libère enfin de l'obsession de soi pour se soucier des autres – oubliant ainsi, ne serait-ce qu'un instant, notre peur de souffrir, de perdre ce que l'on a ou de ne pas obtenir ce que l'on désire.

Voilà pourquoi dans la tradition bouddhiste on dit de la communauté qu'elle est l'un des trois joyaux* qui mènent à l'éveil. Bien sûr, il est possible d'apprendre tout cela dans ces petites communautés laïques que sont la famille, l'équipe de travail, le club sportif ou le réseau d'amis. Si je prends la peine de

---

* Le premier joyau, c'est le Bouddha lui-même, le modèle d'un être humain comme toi et moi qui a réalisé son plein potentiel. Le deuxième, c'est le *dharma,* les enseignements qui nous permettent de suivre son exemple.

t'écrire toutes ces lettres, c'est précisément pour partager avec toi certains moyens d'y parvenir.

Toutefois, ce qui est particulièrement puissant dans la vie monastique, c'est peut-être que les échappatoires sont moins nombreuses. Ainsi, il est certainement plus difficile de tasser ou de nier ses émotions quand la méditation – cette rencontre amicale avec soi-même – est obligatoire. Au monastère, si on prévoit manquer une session, il faut laisser une note au *geko*, la personne responsable de la discipline. Si on ne le fait pas, il nous rend visite pour s'enquérir de ce qui se passe. On peut sans doute mentir une fois et se prétendre malade – auquel cas il verra à ce que l'on reçoive tous les soins nécessaires, dont le petit-déjeuner au lit ! –, mais mentir régulièrement serait contraire à nos vœux et n'aurait absolument aucun sens !

Aussi, éliminer ces autres que l'on trouve difficiles à vivre, ou tout au moins s'en tenir loin, ne sont jamais des options. Par exemple, il est impossible de déménager quand la voisine de chambre vous incommode, de réclamer le congédiement ou le transfert d'un incompétent ou d'un paresseux, de refuser de travailler avec une consœur qui nous énerve ou de démissionner du conseil monastique quand on en a marre ! Impossible surtout d'utiliser ces grandes stratégies que sont la télé, les réseaux sociaux, l'alcool, le commérage, les distractions multiples pour éviter de rencontrer ces aspects de nous-mêmes que nous aimons moins, ou encore notre vulnérabilité, notre solitude ou l'insatisfaction... bref tout ce que nous trouvons difficile et souhaitons fuir.

Entraîner son esprit

Une chose est sûre, si on décide de s'y consacrer pleinement et honnêtement, la vie monastique peut être vraiment sans choix : la fuite n'est jamais une option ! Mon amie Tsültrim, une nonne avec qui j'ai partagé une cabine dans mes dernières années à l'abbaye, la comparait à une cuisson sous pression ! L'intensité que crée l'absence d'échappatoire provoque des changements rapides. Au risque d'être constamment malheureux, on apprend assez vite à accueillir, avec curiosité et bienveillance, « l'autre en nous », autrement dit les émotions parfois très vives que « la vie avec les autres » fait surgir dans notre esprit.

~ ~ ~

Il est plus facile d'entraîner son esprit à l'ouverture et à la souplesse plutôt que de constamment remuer ciel et terre pour que tout soit à notre goût, voire parfait.

~ ~ ~

On peut passer sa vie à essayer de tout contrôler et de tout prévoir pour éviter l'inconfort, les personnes et les situations que l'on juge désagréables. Shantideva, un moine-poète indien du 8e siècle, comparait cela à vouloir recouvrir la terre de cuir pour protéger nos pieds. C'est une tâche épuisante et impossible. « Il est plus facile de porter des sandales », ajoutait-il. Autrement dit, il est plus facile d'entraîner son esprit à l'ouverture et à la souplesse, plutôt que de constamment remuer ciel et terre pour que tout soit à notre goût, voire parfait. Et cela peut se faire dans la vie laïque comme au monastère.

Si j'ai finalement choisi de porter des sandales, c'est beaucoup grâce à Ani Pema de qui j'ai reçu non seulement des enseignements et de précieux conseils, mais aussi des critiques directes et fermes lorsque c'était nécessaire. Tu devines que si je buvais les enseignements, j'étais un peu moins enthousiaste face aux critiques. Pourtant, avec le recul, je pense qu'un des plus beaux cadeaux que la vie m'ait faits, c'est certainement d'avoir placé sur mon chemin une telle amie spirituelle. Il est si facile de se raconter des histoires sur nous-mêmes et de se leurrer sur nos intentions ou nos progrès.

En l'absence d'une telle amie, je te suggère de trouver dans tes relations une personne en qui tu as confiance parce qu'elle est honnête, discrète et qu'elle s'efforce comme toi de manifester sagesse et bonté. Avec elle, tu pourras t'ouvrir complètement sans peur d'être jugé. Elle n'hésitera pas à dévoiler tes points aveugles s'il le faut et t'aidera à retrouver ta route quand tu te sentiras perdu, non pas en te disant quoi faire, mais en posant de bonnes questions et en te ramenant à ce qui est essentiel pour toi. Au monastère, on appelait ce genre d'ami un « *buddy* ».

Ani Pema m'a appris – comme elle l'a fait pour tant d'autres – l'importance de débusquer toutes les manifestations du petit moi frileux et centré sur lui-même. Elle m'a encouragée à m'ouvrir aux autres et à toutes les situations de la vie. Elle m'a appris – parfois à la dure comme tu le verras dans de prochaines lettres – l'art d'accueillir avec courage, curiosité et bienveillance l'incertitude et la déception, ces deux composantes inévitables de toute vie humaine.

Ainsi, beaucoup grâce à elle, j'ai pu au fil des ans prendre la mesure de l'égoïsme dont je t'ai parlé précédemment. J'ai même découvert en moi une certaine dureté qui enserrait parfois mon cœur dans un carcan. Par exemple, si quelqu'un me blessait, je pouvais me fermer complètement et pour longtemps, sinon pour toujours. J'affichais alors une politesse exemplaire mais, à l'intérieur, j'étais de glace. Celui ou celle qui m'avait blessée n'avait plus aucune chance, car je bloquais toute possibilité de réconciliation.

Pour qui désire démanteler les barrières entre soi et les autres, ce n'est pas très habile! Chose certaine, un cœur sec et plein de ressentiment – cette colère qui ne décolère pas – n'est pas un cœur libre. Ce qu'on oublie trop souvent, c'est que nos émotions sont «en nous» et pas ailleurs. C'est nous qu'elles font souffrir! Quand j'étais irritée envers lui, mon mentor Lodrö Sangpo me disait en riant: «C'est toi qui es tourmentée, moi je vais très bien!» Tu devines qu'une telle remarque m'enrageait, mais il avait raison. La colère peut nous faire tellement de mal: notre corps et notre esprit sont agités, parfois à un tel point qu'on n'arrive pas à s'endormir. Toute notre belle énergie éveillée, ce que l'on appelle notre «cheval du vent», est minée.

Je pensais punir l'autre personne en lui retirant mon estime ou mon amour, mais c'est moi qui écopais en réalité. J'étouffais sous ce carcan d'hypocrisie et je mourais d'envie de le fracasser pour laisser vibrer «l'amour en moi», cette tendresse innée dont je t'ai parlé dans ma dernière lettre, toujours accessible dès qu'on accepte d'être entièrement présent à notre expérience.

On peut nourrir cette capacité d'aimer sans réserve et sans attente. À l'abbaye, auprès de différents maîtres que j'ai pu lire ou entendre, j'ai trouvé des outils pour le faire.

Le moine cistercien Thomas Merton* disait : « Le travail d'un moine, c'est d'aimer le monde. » Je pourrais ajouter que c'est aussi le travail du moine qui sommeille en chacun de nous. Tu vois, il n'y a pas d'éveil sans amour. En fait, un des moments les plus importants de la vie spirituelle est sans doute celui où l'on devine enfin qu'on ne s'éveille pas pour soi mais par amour, pour être mieux en mesure de soulager la souffrance autour de soi et d'aider les autres – tous les autres sans discrimination – à trouver un bonheur durable qui ne dépend pas de leur compte bancaire, de leur statut social ou du poste qu'ils occupent.

~ ~ ~

Le travail d'un moine, c'est d'aimer le monde.

~ ~ ~

Chez les maîtres spirituels que j'ai rencontrés, aider semble être à la fois leur seul désir et une source inépuisable de joie. Chose certaine, ils n'ont jamais triste mine. Au contraire, ils sont en général énergiques, souriants et radieux. Je crois qu'ils ont compris que prendre soin des autres – sans arrière-pensée et sans espérer une gratification quelconque – est la meilleure façon de se faire du bien. Rappelle-toi seulement la joie que tu ressens quand tu offres un cadeau ou donnes un coup de main, juste pour faire plaisir. Pendant quelques instants, tu n'es plus dans le chemin ! Tu t'oublies complètement. C'est un instant d'amour pur.

Or, chacun de ces instants d'amour pur, c'est-à-dire libre de toute préoccupation égoïste, peut être un petit moment d'éveil,

---

* Moine trappiste, auteur de plusieurs livres sur la voie monastique. Chögyam Trungpa Rinpoché, qui l'a rencontré lors de son voyage en Asie au cours duquel il a trouvé la mort, disait de lui que «c'était un véritable moine».

libre d'ego, cette illusion d'un moi solide. Pour sûr, dans un tel état d'esprit, on ne s'épuise pas à la tâche.

Tu sais, Xavier, quand les bouddhistes disent que l'ego est une illusion, ils ne disent pas que rien n'existe, mais bien que rien n'existe réellement. Comme moi, tu es fait de chair et de sang, d'os, de muscles et de nerfs ; tu as un esprit qui perçoit, ressent et pense. Personne ne remet cela en question. Le problème, c'est que, sans trop réfléchir, tu mets une étiquette là-dessus et tu dis « c'est moi ». Ce moi, tu le perçois comme solide et définitif, alors qu'il est plutôt un assemblage de divers éléments – un corps, des sensations, des perceptions, des mémoires, des concepts – en perpétuel mouvement et en constante interrelation avec l'environnement.

Bien sûr, si tu perçois ce moi comme solide, permanent et séparé du monde, tout devient figé. Ce moi solide, tu t'affaires du matin au soir à le dorloter et à le protéger. Et puis, si tu es solide, tu en déduis rapidement que les autres le sont aussi. Tu dois alors vérifier constamment s'ils sont « pour toi » ou « contre toi ». Vivre sous leur regard te rassure sur ta propre existence et tu recherches constamment et parfois avidement confirmation et approbation ; un mot dur te jette à terre et le moindre petit compliment te fait flipper. Tout cela génère une sourde anxiété dont, le plus souvent, tu n'es même pas conscient.

La bonne nouvelle c'est que, tout comme la méditation, les moments d'amour pur durant lesquels on s'oublie minent notre attachement irrationnel à cette illusion d'un moi permanent, solide, séparé des autres et du monde.

La voie du guerrier

Oui, je sais, questionner notre propre existence et nous tourner résolument vers les autres, c'est gros, vraiment gros! Cela va certainement à contre-courant d'une culture qui nous invite à croire que nous sommes le centre du monde.

Cela exige de notre part la générosité du lâcher-prise, le courage d'affronter l'inconfort de relations parfois difficiles, la patience d'accepter les imperfections – les nôtres comme celles des autres – et, enfin, la persévérance qui n'abandonne jamais. Il s'agit là d'une véritable révolution du cœur fondée sur la conviction qu'il est impossible de s'éveiller en demeurant centré sur soi. Cette révolution du cœur témoigne aussi d'une foi profonde dans «l'instinct de l'éveil», cet ADN spirituel commun à tous les êtres humains!

N'oublie pas, même ton pire ennemi possède la bonté fondamentale, ce potentiel infini de sagesse et de compassion dont je t'ai souvent parlé.

Dans la tradition bouddhiste, on appelle *bodhisattvas*, ou «héros de l'esprit d'éveil», les gens qui s'engagent à s'éveiller dans le but de pouvoir aider les autres à faire de même. Dans Shambhala, on les appelle des «guerriers», car il faut une bonne dose de bravoure pour oser être qui nous sommes, sages et compatissants. Il faut du courage et de l'audace pour travailler résolument à créer autour de soi un monde où les humains que nous sommes peuvent réaliser leur plein potentiel. Nous pouvons tous être des guerriers et des guerrières. Ici et maintenant, un petit geste à la fois... Et un petit geste après l'autre, on finit par y prendre plaisir! La vie devient alors passionnante.

Un jour, pour me taquiner, Ani Pema m'a dit avec un sourire un tantinet narquois : «Le succès est garanti, Ani Lodrö. Je peux t'affirmer avec certitude que tu atteindras l'éveil. Toutefois, je ne sais pas quand… Cela dépend de toi!»

Tu sais, cela s'applique à toi aussi… à nous tous! Pour ma part, je suis fort loin d'être un bouddha accompli mais, comme tu l'as toi-même remarqué, je suis un peu plus généreuse et patiente. Je peux aussi te dire que, dans mes dernières années à l'abbaye, enfin sortie de mon cocon, j'adorais faire la vaisselle et participer aux grandes corvées. Et puis, un jour, Harry – un voisin d'une grande bonté qui avait assisté à mes débuts difficiles – m'a dit : «It is so nice to be around you these days!» (C'est vraiment très agréable de te fréquenter ces jours-ci!) Voilà certainement un des plus beaux compliments que j'aie jamais reçus, d'autant plus qu'Harry était un homme de peu de mots.

Renouer avec notre tradition héroïque

« On ne fait jamais de grandes choses, seulement des petites avec beaucoup d'amour. »

— **Mère Teresa**

Mon très, très cher fils,

Je me doutais bien que la notion de héros que j'aborde à la fin de ma dernière lettre te dérangerait. Les héros semblent si loin de nous, si inaccessibles. Alors, pour illustrer concrètement l'importance des héros, je vais te parler aujourd'hui d'une femme dont la vie a été pour moi une source constante d'inspiration à l'abbaye. Il s'agit d'Etty Hillesum, une jeune Juive néerlandaise qui est morte à Auschwitz en 1943.

Etty Hillesum n'avait rien d'une héroïne au début de la guerre. C'était une jeune femme de 27 ans très intelligente et curieuse. Elle enseignait le russe pour gagner sa vie et son grand rêve était de devenir écrivain. Elle a d'ailleurs rédigé un journal, publié après la guerre, qui s'intitule *Une vie bouleversée*[*]. Quand les nazis ont commencé à imposer des restrictions de plus en plus sévères aux Juifs des Pays-Bas, Etty avait assez de clairvoyance pour comprendre qu'ils étaient en train de mettre en place un plan d'extermination. Bien sûr, elle a été terrifiée comme son journal en témoigne. Elle se demandait notamment si elle aurait le courage de faire face aux privations qu'elle anticipait et, éventuellement, à la mort.

Juive de naissance, elle était toutefois sans obédience religieuse, bien qu'elle ait eu, semble-t-il, des sympathies catholiques. Face à la démence nazie, elle a choisi de refuser la violence et d'ajouter ne serait-ce qu'une once d'agression à ce monde. Elle a plutôt mené sa lutte en incarnant la dignité humaine que les nazis s'employaient à nier pour inspirer les gens de son entourage à faire de même.

---

[*] Etty Hillesum, *Une vie bouleversée,* Paris, Point, 1995, 360 p.

À l'abbaye, quand j'étais triste ou découragée, j'allais m'asseoir seule sur un banc de pierre au bord de la falaise, près de l'océan. Pendant de longs moments, je contemplais le ciel et la mer dont l'immensité me rappelait la vastitude de l'esprit libre de pensées. Cela m'apaisait. Parfois, j'imaginais Etty Hillesum assise à mes côtés. Penser à elle et à sa vie me donnait le courage d'aller au-delà de mes crises de nombrilisme. C'est entre autres à cela que servent les héros.

Par exemple, comme je te l'ai déjà confié, partager une chambre avec deux autres nonnes était pour moi très difficile, car je tenais à mon intimité comme à la prunelle de mes yeux. Alors, quand j'atteignais un état proche de l'exaspération ou de la dépression, je pensais parfois à Etty.

~ ~ ~

Elle était prisonnière, mais son esprit et son cœur étaient libres.

~ ~ ~

Dans la dernière année de sa vie, elle a vécu au camp de transit Westerbork dans les pires conditions, c'est-à-dire parmi plusieurs dizaines de personnes entassées dans un grand dortoir de lits superposés où régnait un chaos indescriptible. Etty connaissait des moments sombres, qu'elle confiait à son journal, mais elle se ressaisissait rapidement grâce à la prière. Ceux qui l'ont connue affirment qu'elle est demeurée rayonnante jusqu'à la fin. Elle était prisonnière, mais son esprit et son cœur étaient libres. Au cœur du chaos, de la violence et de l'horreur, elle se conduisait avec décence et bonté. Non seulement a-t-elle choisi délibérément d'aller au camp pour aider ses semblables, alors qu'elle a eu plusieurs occasions de fuir, mais ses journées étaient consacrées à soulager la souffrance de ses parents et des autres prisonniers, avec le peu de moyens dont elle disposait.

Me rappelant son histoire, j'avais un peu honte de me plaindre, comme tu t'en doutes. Je me disais que je pouvais certainement faire l'effort de partager sans rechigner une chambre, somme toute très confortable, d'autant plus que c'était mon choix d'y vivre. Eh bien Xavier, j'ai réussi! Quand une chambre personnelle m'a finalement été allouée, peu de temps avant mes vœux permanents, je m'étais complètement acclimatée à la cohabitation obligée et j'arrivais à mieux composer avec mes compagnes.

Tu vois, quand je te parlais dans ma dernière lettre de petits gestes, c'est à ce genre de choses que je pensais. L'air de rien, à travers cette simple expérience de promiscuité non désirée, j'avais acquis un peu plus de souplesse d'esprit et d'abandon. Pour cela, Etty a été mon modèle. Bien sûr, en te racontant son histoire, j'ai une petite arrière-pensée. Je veux t'offrir un sens du possible: oui, les héros de la décence et de l'amour existent et ils sont beaucoup plus nombreux qu'on ne le saura jamais, car ils n'ont pas l'habitude de clamer leur courage ou de se vanter de leurs actes. Interrogés au sujet de leurs «exploits», ils répondent souvent: «Je n'ai rien fait d'extraordinaire, c'était ce qu'il fallait faire et je l'ai fait.»

Ces héros ne sont pas des êtres «spéciaux» ou parfaits, complètement différents de nous, qui font des gestes dont nous serions incapables. Ce sont des hommes et des femmes qui ont leurs faiblesses et qui font parfois des erreurs comme toi et moi. Ils ont toutefois une vision très claire de la valeur humaine et orientent leur conduite en conséquence, même quand ils sont confrontés à la brutalité et à la cruauté de ceux qui ne savent pas, ou qui ont oublié. Ils proviennent de toutes les traditions religieuses, et certains n'adhèrent à aucune, mais ils ont en commun le souci de l'autre ainsi que la conviction profonde que le véritable bonheur réside dans notre capacité de penser aux autres.

De plus, ces héros comprennent qu'aucun de nous ne vit sur une île, et que toute menace à la vie ou à la dignité des autres nous touche directement. Voilà pourquoi nous ne pouvons demeurer indifférents. N'es-tu pas bouleversé maintenant par les horreurs commises par les membres de l'État islamique ? Est-ce que les atrocités dont tu entends parler ne t'amènent pas à douter de l'intelligence humaine ? Vois-tu, même si ces actions ne sont pas dirigées directement contre nous, je suis persuadée qu'elles contribuent à créer un climat de peur et de morosité. De plus, elles nourrissent un certain cynisme au sujet de la nature humaine. Cet état d'esprit mine notre confiance en notre capacité d'incarner pleinement la bonté fondamentale et de créer une bonne société fondée sur ce principe.

Certains de ces héros – et je pense à Nelson Mandela – sont célèbres, aimés et adulés. Mais, plus près de toi et moi, d'autres sont très ordinaires, et l'histoire ne retiendra même pas leur nom. Je pense à ma cousine Carole par exemple qui, il y a trente ans, a choisi d'accueillir chez elle pour les adopter des enfants nés de parents incapables d'en prendre soin. Je pense à ce chauffeur de taxi algérien qui me confiait avoir choisi l'immigration pour offrir de meilleures chances à ses enfants, même si le prix à payer pour lui et sa femme était de renoncer à pratiquer la profession qu'ils aiment, leurs compétences n'étant pas reconnues au Québec.

Regarde autour de toi et tu verras que ces héros ordinaires sont nombreux. Eux aussi peuvent t'inspirer à vivre avec courage et générosité.

La façon dont Mère Teresa définit l'héroïsme me plaît beaucoup, car elle le rend accessible : « On ne fait jamais de grandes choses, dit-elle, seulement des petites avec beaucoup d'amour. » On peut laver la vaisselle, faire les courses, nettoyer, cuisiner, répondre à un client, discuter avec des collègues en rouspétant... ou avec beaucoup d'amour. Tu le sais, je ne suis pas fleur bleue : j'ai toutes sortes de beaux défauts mais pas celui-là ! Souviens-toi : l'esprit est malléable. Si chaque jour tu l'entraînes à penser aux autres, cela crée une habitude qui a rapidement un effet sur la structure même de ton cerveau. Qui sait, avec un tel entraînement, il se peut que toi aussi tu sois prêt un jour à faire des gestes héroïques qui pourraient même sortir de l'ordinaire si le besoin se faisait sentir.

> ~ ~ ~
> *Demande-toi chaque jour : « Comment puis-je aider ? »*
> ~ ~ ~

Mon cher fils, demande-toi chaque jour : « Comment puis-je aider ? » Xavier, ne te couche jamais sans avoir fait au moins une chose pour les autres dans ta journée, ne serait-ce qu'en pensée. Prépare le petit-déjeuner de Stéphane, cède ta place dans le métro, apporte un croissant à ton collègue de travail, sois attentif aux besoins des clients, prends le temps de méditer pour éviter de déverser ta colère sur les autres. Aider, c'est si simple au fond.

Tu sais, ce n'est pas tant la nature de l'action qui compte que la disposition de l'esprit. Parfois, un simple sourire – même quand on n'en a pas envie – peut faire le travail! C'est bon pour les autres et aussi pour toi. Tenzin Palmo[*], une nonne remarquable qui a vécu de nombreuses années dans un petit ermitage de l'Himalaya, conseille de sourire délibérément au moins 12 fois par jour histoire de maintenir détente et bonne humeur en soi et autour de soi. Essaie. Le résultat est fascinant!

Dans la tradition bouddhiste, il y a aussi une simple pratique qui consiste à faire une pause avant chacune de nos actions – et en particulier celles qui impliquent d'autres personnes, comme une réunion ou une discussion avec des amis, pour souhaiter qu'elle soit bénéfique aux autres. J'ai constaté que cela m'aide à être présente, à discerner comment agir et aussi à mieux choisir mes mots ainsi que mon ton de voix. Intégrer cette habitude dans ta vie pourrait constituer le début de ton entraînement à l'héroïsme.

En ces temps très difficiles où la violence et l'injustice semblent dominer, je pense que nous avons grand besoin de renouer avec l'authentique tradition héroïque de l'humanité car, plus que jamais, nous avons besoin de modèles généreux et altruistes pour nous aider à croire en nous, nous rappeler notre grandeur et inspirer notre vie.

J'aimerais bien savoir si tu as de tels modèles dans ta vie et comment ils t'inspirent.

---

[*] Vicki Mackenzie, *Un ermitage dans la neige*, Paris, J'ai lu, 2003, 255 p.

« Le fouet
de la bienveillance »

« La vieille philosophie
de l'œil pour l'œil
n'a jamais fait
que des aveugles. »

– Gandhi

Cher fils !

J'ai décidé de céder à ta curiosité et de te raconter un de ces moments où Ani Pema m'a adressé des « critiques directes et fermes », comme j'y fais allusion dans l'une de mes dernières lettres. Tu devines que si je me résous à la satisfaire, c'est toujours dans le but de partager avec toi certains enseignements qui ont contribué à changer ma vie en mieux.

Quand j'ai « pété ma coche » !

À l'abbaye, on m'a confié très tôt des responsabilités qui reviennent habituellement à des moines ou à des nonnes qui ont une longue expérience. Ainsi, je suis devenue rapidement responsable de la formation monastique. Dans un monastère chrétien, cela équivaudrait au titre de maîtresse des novices. Mon rôle consistait à accueillir les nouveaux, à m'assurer qu'ils connaissaient nos règles et nos rituels monastiques, à préparer leur ordination et à assurer leur formation continue.

Cette nomination n'avait rien à voir avec mes mérites ou mon savoir, mais bien avec le manque de ressources : les « Anciens » étaient trop âgés ou en retraite et il fallait faire avec la nouvelle génération. Comme j'étais une femme mûre et que j'avais 13 années de pratique de la méditation derrière moi, ainsi que certaines habiletés de direction, on a pensé que ça pourrait aller.

C'était pour moi une situation extrêmement inconfortable, avec plein d'effets miroirs. D'une part, il n'y avait pas de description de tâches, et je ne savais pas trop en quoi consistaient mes responsabilités. Aussi, je devais préparer un programme de formation sans personne pour me guider. Enfin, je me trouvais pour ainsi dire coincée en sandwich entre les Anciens qui se méfiaient de mon ignorance – à juste titre, j'en ai bien peur – et mes pairs qui doutaient résolument de mon autorité !

Inconsciente de la panique qui m'habitait et fidèle à mon passé professionnel de « développeuse », j'ai foncé tête première pour affronter ce nouveau défi. J'ai bien sûr appliqué les méthodes de direction que je connaissais – consultation à partir d'une proposition, adoption d'un plan, répartition des responsabilités, reddition de comptes, évaluation – pour me rendre compte que personne n'était familier avec ces façons de faire, car la plupart des moines et nonnes n'avaient aucune expérience du monde corporatif. De plus, en général, ils avaient peu d'intérêt pour la gestion. Après tout, ils n'avaient pas pris les vœux monastiques pour devenir gestionnaires, mais bien pour étudier et méditer ! Enfin, mal informés, ils avaient tendance à se méfier de toute proposition écrite, car ils percevaient cette façon de faire comme une tentative de ma part d'imposer mes vues alors que je souhaitais leur fournir toute l'information pour qu'ils puissent prendre des décisions éclairées.

C'était très frustrant et même désespérant. Or, la frustration ne faisait qu'aggraver mon anxiété, laquelle me rendait impatiente et agressive. Alors, dans nos discussions, je m'emportais facilement et j'avais souvent envie de tout laisser tomber. Il aurait sans doute fallu faire une pause, avouer honnêtement ma perplexité, mes peurs, mon irritation et proposer une réflexion afin d'inviter la sagesse collective à se manifester, mais j'ai choisi maladroitement de m'imposer.

Chösang, un moine dont la tâche consistait à m'assister, résistait plus particulièrement à mes efforts d'affirmation. Lui-même avait ses propres démons reliés au monde du travail. Il n'aimait pas qu'on lui dise quoi faire, il n'était pas particulièrement vaillant, mais il voulait avoir son mot à dire sur tout et il répugnait à rendre des comptes. Alors, l'inévitable s'est produit. Un jour, j'ai « pété ma coche » comme on dit. Nous nous sommes disputés et, en haussant dangereusement le ton, j'ai exigé qu'il fasse ce que je lui demandais sans discuter et dans les délais prévus.

~ ~ ~

Les regrets ne suffisent pas toujours à rétablir la confiance.

~ ~ ~

Bien sûr, j'ai regretté immédiatement ma conduite, comme toutes les fois dans ma vie où j'ai explosé sans contrôle. J'avais assez vécu pour savoir que les regrets ne suffisent pas toujours à rétablir la confiance. Shantideva, le moine-poète dont je t'ai déjà parlé*, écrit qu'une seule explosion de colère peut détruire des éons** de vertu. Il peut aussi détruire à jamais une amitié. C'est très juste, je le sais malheureusement par expérience.

Bien sûr, les choses n'en sont pas restées là avec Chösang. Il s'est plaint à Tim, le directeur de l'abbaye. Quelques jours plus tard, lui et moi étions convoqués dans le bureau du directeur pour parler de l'incident. Ani Pema était présente et elle s'est d'abord adressée à Chösang pour souligner comment son arrogance et son ambition étaient insupportables et lui nuisaient.

---

* Voir la *Lettre 15*.

** Un éon est une période de temps infiniment longue dans la cosmologie bouddhiste.

J'étais ravie ! Enfin, quelqu'un osait dire ses quatre vérités à ce moine que je trouvais un peu prétentieux et macho !

Mon ravissement fut cependant de courte durée, car ce fut ensuite mon tour ! Quand Ani Pema s'est tournée vers moi, je me suis assise sur le bout de ma chaise, un peu fébrile. J'avais très peur d'entendre ce qu'elle allait dire. Recevoir des critiques, qu'elles soient justifiées ou non, est souvent une situation fort inconfortable. Pourtant, ce peut être tellement précieux.

Ani Pema m'a dit : « Ani Lodrö, tu as de nombreuses qualités, mais tu ne peux pas continuer à bousculer les gens comme tu le fais quand ils ne sont pas d'accord avec toi ou quand tu veux obtenir quelque chose. C'est pénible et cela ne te mènera à rien. »

Ce n'était pas la première fois qu'on m'adressait cette remarque. Je n'avais jamais pris ces critiques au sérieux, qu'elles viennent de mes amis ou de collègues de travail. En fait, j'avais alors le sentiment que les gens n'acceptaient pas ce que j'appelais « ma fougue », alors qu'ils essayaient tout simplement de me faire comprendre à quel point je pouvais parfois être « lourde » dans une discussion ou dans le cadre de la réalisation d'un projet. Ils avaient raison : j'écoutais peu, j'étais très attachée à mes points de vue, et il fallait se lever de bonne heure pour me faire changer d'idée.

Ce jour-là, j'ai vraiment entendu Ani Pema parce que sa critique était claire et juste. J'étais ouverte, car je voyais bien qu'elle cherchait à m'aider et non à me clouer au mur. En soi, c'était une belle leçon de leadership ! En fait, il y avait tant de respect et de compassion dans son intervention que, cette nuit-là, j'ai rêvé qu'elle me serrait affectueusement dans ses bras.

Notre réunion s'est bien terminée. Ani Pema a confirmé clairement mon rôle et mes responsabilités dans le cadre de la formation monastique. Elle a demandé à Chösang
de reconnaître mes fonctions en exprimant le
souhait que nous collaborions, ce que nous
avons fait de mieux en mieux au fil des ans.

J'ai bien vu ce jour-là que pour être un leader
authentique il me fallait résolument mettre le
cap sur la bienveillance. J'ai compris entre
autres choses que Chösang, comme toi et moi
d'ailleurs, avait besoin d'être reconnu et
apprécié. Si je lui offrais mon écoute et si je
m'ouvrais à ses opinions, tout en faisant preuve
de patience face à ses travers, non seulement
le dialogue devenait possible, mais il se mobili-
serait pour donner le meilleur de lui-même.

~ ~ ~

*Être
bienveillant,
c'est entre
autres
comprendre
que les gens
souffrent.*

~ ~ ~

« *Attention ! Je vais être extrêmement bienveillant !* »

Dans la tradition Shambhala, il y a un enseignement qui s'appelle « les six façons de régner sur sa vie » et il m'arrive maintenant de diriger des retraites sur ce thème.

La première façon de régner*, c'est la bienveillance. Être bienveillant, c'est entre autres comprendre que les gens souffrent.
Tout comme nous, ils entrent dans une relation – personnelle
ou professionnelle – avec une petite valise qui contient leur
histoire pas toujours drôle, leurs problèmes parfois très complexes, leurs blessures, leurs démons, leur besoin d'être

---

* Les autres façons de régner sont: être vrai, l'authenticité, le courage, l'habileté
et un sens de la célébration.

entendus, leurs peurs, leurs doutes et parfois leurs douleurs physiques.

Nier ou sous-estimer cela nous amène à commettre des erreurs et parfois à saboter toute possibilité de communication. Quand on veut régner sur sa vie en veillant sur le bien – au travail comme en famille –, on doit tenir compte de ces éléments. On trouve alors des moyens habiles pour établir un véritable dialogue, faire émerger le meilleur chez chaque personne, dénouer des situations complexes, ou assurer harmonie et progrès dans son environnement.

Ainsi, un moine sénior à qui j'avais un jour reproché de m'infantiliser avec ses remontrances a complètement changé d'attitude quand je lui en ai fait la remarque. Désormais, au lieu de me donner des conseils, il me soumettait un problème lequel, par hasard, ressemblait beaucoup à une difficulté que j'éprouvais moi-même. Il me demandait alors mon avis quant à la meilleure façon de travailler à surmonter cet obstacle. J'étais ainsi amenée à me faire la leçon à moi-même ! C'était cousu de fil blanc, tu me diras, mais j'ai apprécié le fait qu'il accepte d'être critiqué de même que son effort pour communiquer de manière différente avec moi. Tu vois ce que je veux dire par « moyen habile » ?

La bienveillance, c'est aussi – comme Etty Hillesum – refuser d'ajouter une once d'agression à ce monde. L'agression est différente de la colère qui repose parfois sur une juste indignation. Elle est un désir de vaincre, de dominer, d'écraser, de nuire, de venger des torts ou d'obtenir ce que l'on veut par la violence ou la manipulation. Elle repose parfois sur une aversion irrationnelle.

Comme tous les maîtres de sagesse, le Sakyong Mipham Rinpoché va très loin dans ses enseignements sur la bienveillance. Il est convaincu que s'il est possible d'accomplir un peu par le biais de diverses formes d'agression, on fait beaucoup plus en pratiquant la bienveillance. Lors d'une retraite en groupe à laquelle je participais, il a rappelé à ses étudiants que le défi actuel des humains consiste à changer le monde sans recourir à l'agression, alors que tout nous invite à croire que c'est impossible. Selon lui, plus les gens sont difficiles à vivre, rebelles ou de caractère hostile, plus il faut user de ce qu'il appelle le « fouet de la bienveillance ».

> ~ ~ ~
>
> *Le défi actuel des humains consiste à changer le monde sans recourir à l'agression.*
>
> ~ ~ ~

Nous avons beaucoup ri quand il a ajouté que d'habitude, quand les gens nous font du tort, on dit : « Attention, je vais te montrer de quel bois je me chauffe ! » alors qu'un Shambhalien dit plutôt – ou devrait dire – « Attention, je vais être extrêmement bienveillant ! » Être bienveillant ne veut pas dire être mou, faible ou bonasse. Cela signifie chercher à rendre les autres heureux, même avec de petites choses, travailler à soulager la souffrance, ne jamais fermer son cœur à qui que ce soit, et cela même quand la communication est difficile ou brisée.

La bienveillance exige parfois d'être ferme. Par exemple, elle peut nous obliger à refuser certaines demandes ou même à faire des gestes qui peuvent sembler malveillants vus de l'extérieur. L'important, c'est ce qui se passe dans l'esprit, car c'est l'intention qui détermine la qualité de bienveillance d'un acte et non l'acte en lui-même.

Chögyam Trungpa, à qui on demandait ce qu'il ferait s'il voyait quelqu'un prêt à presser un bouton qui ferait sauter la planète, a répondu : « Je le tuerais sans hésitation, avec un sourire. » Le sourire, ici, n'est pas une expression d'arrogance ou de mépris. Il exprime au contraire douceur et absence de peur, de haine ou d'agression.

La bienveillance, qu'elle s'exprime par une caresse ou l'acte de tuer pour éviter un massacre, devient possible quand on comprend, jusque dans la moelle de nos os, que « la vieille philosophie de l'œil pour l'œil n'a jamais fait que des aveugles ». Répondre à l'agression par l'agression nous tient enfermé dans le cercle de la violence, un constat maintes fois vérifié au cours de l'histoire de l'humanité.

Pratiquer la bienveillance est un beau programme, ne trouves-tu pas ? Mais comment fait-on cela ? Eh bien, on commence par être bienveillant envers soi-même. Ce sera le thème de mes prochaines lettres.

Amour, désir, jalousie
et *tutti quanti* !

« Ressens pleinement l'énergie
des émotions, mais lâche prise
des pensées. »

– Ani Pema Chödron

Cher Xavier,

Tu as sans doute remarqué que la bienveillance envers nous-mêmes en prend un dur coup quand on éprouve des émotions difficiles comme la colère ou la jalousie. On a alors souvent honte de nous, ce qui ne fait qu'ajouter à notre souffrance.

Comment vivre avec ces émotions sans se juger et sans se blâmer est précisément le propos de cette lettre. Tu la trouveras peut-être un peu juteuse car, pour illustrer ce propos, il y sera question de passion, de désir et de jalousie… bref de toutes sortes d'émotions souvent intenses qu'on n'a pas tendance à associer à la vie monastique. À tort d'ailleurs, car moines et nonnes demeurent des êtres de chair et de sang, avec des émotions, des préférences, des habitudes, un passé et des rêves.

Rassure-toi toutefois : je n'ai aucune intention de me lancer dans des ragots ou de sombrer dans le sensationnalisme. Il sera plutôt question, tu t'en doutes, de ce qu'il est possible de faire pour apprivoiser de fortes émotions – agréables ou non – sans les réprimer, mais sans non plus se laisser submerger.

Si j'ai choisi de parler de la passion, du désir et de la jalousie, c'est que ces émotions souvent associées à l'obsession, à la possessivité, à l'excitation et à la dépression ont constitué une partie importante de mon paysage mental durant mon séjour au monastère. À ce titre, elles ont été partie intégrante de mon cheminement spirituel et me taire à ce sujet serait malhonnête envers toi.

« *Réjouissez-vous !* »

À l'abbaye, faire l'expérience du désir amoureux ou sexuel n'était pas vu d'emblée comme un problème. Quand on notait une attirance envers quelqu'un, la consigne était plutôt : « Réjouissez-vous ! »

Cela te surprend, n'est-ce pas ? Mais pense à ce que tu as ressenti quand tu es tombé amoureux et tu vas comprendre. Ton cœur s'est ouvert, tous tes sens étaient en alerte et tes perceptions étaient plus vives. Quand on aime, on a le goût de vivre et on est plus confiant, plus curieux, plus joyeux. Un coucher de soleil est mille fois plus beau quand on est amoureux, ne trouves-tu pas ?

~ ~ ~

Quand on aime, on a le goût de vivre et on est plus confiant, plus curieux, plus joyeux.

~ ~ ~

Le problème avec l'amour et le désir, c'est qu'on le centralise, on le ramène à soi. On veut l'autre personne toute à soi, rien que pour soi, et pour toujours. On veut que l'amour demeure identique éternellement et on est hanté par la peur de le perdre. Alors qu'on a déjà vécu longtemps sans notre objet d'amour, on s'imagine soudain que la vie sans lui n'a plus aucun sens.

Cela s'appelle « l'attachement », et l'attachement est source de souffrance, car il entraîne la dépendance, l'obsession, la possessivité, la jalousie… et *tutti quanti* ! C'est donc à l'attachement qu'il faut renoncer et non à l'amour ou au désir. Aimer sans attachement, c'est comprendre que l'objet de notre amour ne nous appartient pas et ne nous doit rien. C'est offrir à soi et à l'autre l'espace nécessaire pour que la rencontre soit toujours un choix et non une obligation. C'est aussi se rappeler constamment que l'amour vient sans garantie d'éternité.

Dans le contexte du célibat monastique, il y a toutefois des balises à l'expérience de l'amour et du désir qui varient d'une tradition spirituelle à l'autre. Et, même dans la tradition bouddhiste, il y a différentes écoles de pensée. On pourrait consacrer tout un livre à ce sujet, mais ce n'est pas mon propos.

À l'abbaye, comme dans toute institution monastique, la règle de l'abstinence est très stricte. Rappelle-toi, le mot « moine » vient du grec *monos,* un seul but : la passion d'un moine ou d'une nonne, c'est l'éveil, et l'abstinence est perçue comme un soutien à cette passion. Libre de toute attache, il est plus facile de consacrer du temps à la méditation, à l'étude, mais aussi à servir les autres, tous les autres, et non pas uniquement une personne ou sa seule famille. Dans la vie spirituelle, ce n'est pas un choix obligatoire, mais c'est certainement un choix valide et viable.

Toutefois, s'il n'est pas interdit d'aimer ou de désirer, briser la règle de l'abstinence – et je parle ici de faire l'amour – entraîne l'obligation de remettre ses vœux et de quitter le monastère. En quarante ans d'histoire, il y a eu seulement trois cas d'abandon des vœux à l'abbaye de Gampo. Dans les trois cas, les personnes concernées avaient pris des vœux temporaires et prévoyaient donc quitter le monastère quelques mois plus tard.

Comprends-moi bien, une telle rigueur ne repose absolument pas sur un jugement négatif face au corps ou à la sexualité. Il s'agit plutôt d'un ajustement obligé à la réalité : céder au désir c'est, de fait, choisir le retour à la vie laïque et à une voie spirituelle différente qui, elle, inclut la sexualité.

Aussi, la coutume veut que deux personnes, hétérosexuelles ou gaies, qui ont une attirance l'une pour l'autre soient incitées à demeurer membres à part entière de la communauté plutôt que de rechercher constamment leur seule présence. Enfin, le plus important, c'est que moines et nonnes disposent d'une instruction très précise pour travailler avec l'énergie sexuelle sans la réprimer, mais sans non plus « passer à l'acte ».

Peut-être l'as-tu déjà remarqué, mais l'énergie dans notre corps se concentre toujours là où se porte notre attention. J'en fais l'expérience chaque fois que je pratique le Qi Gong. Par exemple, si je concentre mon attention sur mes mains, elles deviennent toutes chaudes. Lorsque le désir sexuel surgit, l'énergie est en général concentrée au niveau du bas-ventre et des parties génitales. Mais si tu amènes résolument ton attention au niveau du cœur, l'énergie se concentre alors dans la région du plexus. La tension sexuelle diminue inévitablement ainsi que le besoin impératif d'assouvir le désir.

On peut alors imaginer que cette puissante énergie concentrée au plexus irradie dans toutes les directions, faisant rayonner amour et compassion envers tous les êtres et non envers une seule personne. Comme tu vois, la passion sert ainsi de combustible à l'amour altruiste et voilà une autre raison de se réjouir d'aimer ! Je ne peux pas parler pour les autres, mais quand je pratiquais cette approche, libérée du besoin de passer à l'acte, je devenais ouverture et tendresse. Je cessais d'être obsédée et je ressentais alors une douce chaleur dans tout mon corps ainsi qu'un profond contentement.

Comme tu peux voir, cette instruction peut être fort utile à des laïcs confrontés à des situations où satisfaire leur désir est impossible – par exemple quand ils se retrouvent sans partenaire, quand ce dernier n'est pas disponible ou encore quand l'un des conjoints est attiré par quelqu'un d'autre et qu'il souhaite garder son vœu de fidélité sans pour autant nier, craindre ou réprimer son désir.

La morsure de la jalousie

Qu'en est-il maintenant de la jalousie, cette autre émotion difficile souvent associée à l'amour et au désir ? Comme pour bien des gens, la jalousie a toujours fait partie de mon univers émotionnel et elle a parfois compromis non seulement mes relations amoureuses, mais aussi mes relations amicales et professionnelles.

J'ai eu la chance de pouvoir affronter ce « monstre » au monastère. Désagréable, mais fort intéressant ! Mon expérience confirme ce qu'Ani Migme, notre doyenne, nous répétait : « Ici, disait-elle en parlant de l'abbaye, on ne reçoit pas ce qu'on veut, mais ce dont on a besoin ! » J'avais certes grand besoin de me libérer de cette habitude nuisible et j'ai « reçu » d'excellentes conditions pour le faire.

Un an après mon arrivée, je me suis sentie très attirée par Sherab, un moine avec qui j'avais beaucoup d'affinités. Nous avions la même passion pour l'étude. Il avait en général une grande ouverture d'esprit, son humour me ravissait et j'admirais l'énergie, la persévérance et la précision qu'il mettait dans chacun de ses projets. Nous avions souvent l'occasion de travailler ensemble au collège monastique, et c'était non seulement passionnant mais aussi très agréable.

Sherab avait une plus longue expérience que moi de la vie monastique. Il avait aussi fait la retraite traditionnelle de trois ans et il était donc en mesure de me prodiguer de précieux conseils pour approfondir ma pratique de la méditation. Je l'appréciais donc infiniment. Peut-être à cause de la solitude que j'éprouvais – et totalement séduite par son charme indéniable –, j'ai développé un attachement très fort envers lui. Mon appréciation s'est vite transformée en passion envahissante. En fait, le mot « envahissante » est faible car, peut-être à cause de l'intensité de la vie monastique, je n'avais jamais été aussi obsédée de ma vie. Je le voyais dans ma soupe comme on dit !

Un jour, alors que je pratiquais dans notre belle grande salle de méditation, j'ai entendu sa voix qui venait du stationnement tout à côté. Mon coussin de méditation étant situé près de la fenêtre, j'ai pu le voir qui s'apprêtait à quitter le monastère en voiture avec une de mes sœurs. Je savais qu'il devait aller à Sydney pour un examen médical, mais je pensais qu'il irait seul. Voilà qu'il allait faire ce voyage… avec une autre !

Tu devines que j'ai immédiatement été envahie par une terrible jalousie. J'aurais tellement aimé faire cette longue balade avec lui. Ma jalousie était si intense que j'avais de la difficulté à m'endurer. J'étais désespérée et ne souhaitais qu'une chose : me libérer de mon tourment. La beauté de l'affaire, c'est que je ne pouvais recourir à aucune des stratégies qui étaient miennes dans ma vie antérieure : accuser, blâmer, rompre ou nier mes sentiments. C'était très souffrant. Ne parle-t-on pas des affres de la jalousie ?

Que faire ? Quitter la salle de méditation ? Pour aller où et pour faire quoi ? Il me restait assez d'intelligence pour me rappeler qu'on ne peut fuir son esprit en changeant de pièce ou d'activité. Avec sagesse et une bonne dose de courage, j'ai donc pris le taureau par les cornes et j'ai décidé d'appliquer les enseignements que j'avais reçus pour apprivoiser les émotions difficiles.

Ces instructions viennent de Shantideva, que tu connais maintenant, et Ani Pema les a rendues accessibles au commun des mortels. On les retrouve dans la plupart de ses livres, dont un qui s'intitule *Il n'y a plus de temps à perdre**. Dans notre jargon, on parle des quatre étapes du repos en compassion et je te dirai tout à ce sujet dans ma prochaine lettre.

~ ~ ~

J'étais désespérée et ne souhaitais qu'une chose : me libérer de mon tourment.

~ ~ ~

---

* Ani Pema Chödron, *Il n'y a plus de temps à perdre,* Paris, Le Courrier du Livre, 2011, 367 p.

Le repos en compassion

« J'enseigne une chose
et une chose seulement :
la souffrance et la fin
de la souffrance. »

— Bouddha

Cher fils,

On est parfois très durs envers nous-mêmes quand, à tort, on conçoit la spiritualité comme une lutte incessante pour être la personne idéale que l'on croit devoir être, libre de toutes ces émotions que l'on considère peu louables comme la colère, l'envie et la jalousie.

Or, le jour où Sherab est parti à Sydney accompagné de quelqu'un d'autre, j'ai eu la sagesse de ne pas m'en vouloir d'être bouleversée et envahie par la jalousie. Autrement dit, je n'ai pas ajouté le blâme à mon tourment. Animée d'une grande compassion envers moi, j'ai pris le temps de pratiquer le repos en compassion dont je t'ai parlé brièvement dans ma dernière lettre. Cette pratique est le remède par excellence pour apprendre à accueillir toutes nos émotions – et je dis bien toutes – avec curiosité et bienveillance, sans se laisser submerger par l'inconfort psychologique et physique qui les accompagne très souvent.

1. Localiser

Dans la pratique du repos en compassion, on essaie d'abord de remarquer ce qui se produit dès que l'émotion surgit, peu importe laquelle. Puis, on prend le temps de la «localiser». Si tu observes bien ton expérience, tu vas constater que tes émotions sont toujours accompagnées d'une sensation physique. Chaque émotion a une énergie particulière qui se manifeste dans ton corps par diverses sensations bien identifiables. Je crois t'en avoir déjà parlé. Par exemple, quand on est triste on a parfois «une boule dans la gorge» et, avec la colère, il arrive que la chaleur monte au visage qui alors devient rouge.

Sachant cela, avec toute la curiosité dont je suis capable et une grande tendresse envers moi-même, lorsque la jalousie s'est emparée de moi j'ai tenté de localiser les sensations physiques que j'éprouvais. J'ai réalisé alors que tout mon corps était extrêmement tendu et comme dévoré par une sorte de feu intérieur. J'avais aussi le sentiment que mon cœur – lourd de tout le poids d'une grande peine – se brisait en mille miettes !

2. Embrasser

Puis, j'ai bravement embrassé ces sensations très intenses au lieu de me distraire ou d'essayer désespérément de les faire disparaître comme d'habitude. En utilisant la respiration comme ancrage, j'ai osé ressentir pleinement la tension physique, l'intense chaleur dans mon corps, la morsure au cœur, la gorge serrée qui trahissait le chagrin...

Au moment d'inspirer, avec une grande bienveillance envers moi-même, mon attention se portait sur la sensation elle-même, sans aucun jugement et sans vouloir changer quoi que ce soit à mon expérience. Lorsque j'expirais, je faisais de mon mieux pour me détendre. Puis, à chaque respiration je refaisais le même exercice, sans jamais vouloir chasser ou éliminer ce que je ressentais. J'essayais simplement d'être toutes les sensations que j'éprouvais.

Pour être honnête avec toi, c'était très, très, très inconfortable, mais j'étais résolue à me permettre de vivre pleinement ma jalousie afin de la connaître parfaitement. D'ailleurs, avais-je le choix ? Fuir dans n'importe quelle activité apporterait peut-être un soulagement à court terme, mais j'étais vouée à souffrir de la jalousie tant que je n'apprendrais pas à « l'accueillir », à embrasser avec beaucoup de compassion les sensations physiques qu'elles faisaient surgir, et cela sans perdre pied. Il me fallait donc poursuivre l'exploration de cette souffrance pour être en mesure éventuellement de couper le mal à la racine.

3. Arrêter

Tout en continuant de ressentir pleinement les diverses sensations physiques, j'ai aussi fait l'effort d'arrêter les pensées qui surgissaient, car je voyais bien que mon ronron ne faisait rien d'autre que jeter de l'huile sur le feu. Je crois te l'avoir déjà écrit : sans les pensées, aucune émotion – même la plus intense – ne peut survivre.

Pour arrêter les pensées, on note simplement qu'on est en train de penser et on revient résolument mais doucement à l'objet de notre attention, dans ce cas-ci les sensations physiques liées à la jalousie. Toujours sans jugement.

Tu devines que l'entraînement au lâcher-prise acquis avec la pratique de la méditation devient ici un atout. C'est d'ailleurs l'une des raisons pour lesquelles méditer est si important. Rappelle-toi… quand on médite, on réalise que les pensées s'évanouissent d'elles-mêmes si on ne les nourrit pas. Cette expérience est un réel soulagement. On cesse d'avoir peur de nous-mêmes et on devient confiant dans notre capacité de rester en selle, même dans les pires situations, avec un esprit frais, ouvert, présent et curieux. On a l'impression d'être enfin en maîtrise plutôt que d'être constamment chamboulé par le flot de nos émotions.

Bien sûr, arrêter les pensées était difficile compte tenu de l'intensité de ma jalousie. Tu peux facilement imaginer le roman qui me trottait dans la tête ! Mais le jeu en valait la chandelle, car j'ai pu voir que ce ne sont pas tant les choses qui nous arrivent qui nous font souffrir, mais ce qu'on en pense. Sherab était allé à Sydney avec quelqu'un d'autre : tu conviendras avec moi qu'il y a pire dans la vie ! Ce qui était pénible et ce qui nourrissait mon inconfort, c'étaient toutes les histoires que je me racontais à ce sujet. Tu sais, elles tournaient toutes autour de cette fameuse question qui peut nous hanter et nous rendre malheureux pendant toute notre vie : Pourquoi pas moi ?

~ ~ ~

Ce ne sont pas tant les choses qui nous arrivent qui nous font souffrir, mais ce qu'on en pense.

~ ~ ~

4. Rester

Je me souviendrai toujours de ce matin-là comme du jour où j'ai accepté de rester *ici et maintenant,* entièrement présente à toutes les sensations physiques de la jalousie tout en renonçant encore et encore aux pensées qui allaient à coup sûr prolonger mon malaise. Je peux t'assurer que, depuis, la jalousie n'a plus de secrets pour moi et je suis plus en mesure d'aider ceux qui souffrent de ce mal non nécessaire, car je les comprends tellement !

Ma souffrance s'est apaisée peu à peu et j'ai ressenti une grande fierté. J'avais envie de chanter et de danser dans la salle de méditation, car je venais de remporter une petite victoire qui, je le savais, en annonçait beaucoup d'autres. D'avoir enfin pu apprivoiser une émotion très difficile – car c'est bien de cela qu'il s'agit – me donnait du courage. Je savais que je pourrais appliquer le repos en compassion à toutes les émotions que j'éprouvais, y compris mon grand désir de Sherab.

Vois-tu, j'ai compris ce jour-là qu'en travaillant de cette façon avec mes émotions je pourrais mettre fin à la guerre incessante que je menais contre moi-même. Comme je te l'ai dit au début de cette lettre, la vie spirituelle ne consiste pas à être quelqu'un d'autre – une personne idéale libre de toute turbulence émotionnelle –, mais bien à accueillir tout ce qui surgit dans notre expérience avec curiosité et bienveillance. C'est d'ailleurs cette attitude dénuée d'agression envers nous-mêmes qui nous permet de réaliser par nous-mêmes que les émotions sont fluides, impermanentes.

Chögyam Trungpa dit des émotions qu'elles sont de l'énergie et des pensées. Jusque-là, je n'avais pas vraiment compris ce qu'il voulait dire, mais après avoir exploré courageusement ma jalousie, tout s'éclairait. Je savais désormais que si on observe ses émotions avec curiosité et détachement, sans les juger, mais aussi sans s'accrocher aux pensées qui les accompagnent, elles finissent par s'évanouir comme les traces d'un oiseau dans le ciel*. Bien qu'elles surgissent constamment dans notre univers mental, elles n'ont aucune existence réelle.

Cette expérience est vraiment libératrice. Pour moi, en tout cas, elle a marqué un tournant dans ma vie spirituelle et monastique. J'ai cessé d'avoir honte de mes émotions. On pourrait dire que je suis tombée en amour avec moi et, à partir de ce moment, je suis devenue plus positive et plus facile à vivre. Tu sais, sans cet amour inconditionnel envers

---

* Cette image se retrouve dans *La sadhana de Mahamudra,* une liturgie shambhalienne composée par Chögyam Trungpa Rinpoché.

nous-mêmes, je crois qu'il est impossible d'aimer vraiment, car l'autre devient responsable de notre bonheur et c'est un poids très lourd à porter.

Je n'ai jamais parlé à Sherab de l'amour et du désir que j'éprouvais pour lui, car le silence sur ces choses fait partie de nos vœux. Je suis convaincue toutefois qu'il connaissait mes sentiments car, en dépit de tous mes efforts, je suis souvent un grand livre ouvert. Il ne les partageait pas, j'en suis certaine, mais il avait certainement de la tendresse et de l'estime pour la *French nun* passionnée et déterminée que j'étais.

~ ~ ~

Apprivoiser ses émotions est certainement une condition incontournable pour être en paix avec soi et apprécier la vie avec les autres.

~ ~ ~

Peu de temps avant que je quitte l'abbaye pour faire une longue retraite de plusieurs mois, nous avons fait une promenade ensemble et je lui ai dit qu'il allait me manquer. Il m'a répondu sobrement : « Oui, je comprends, il y a une situation d'affection entre nous. » C'était une étrange déclaration d'amitié, mais elle m'a fait grand plaisir.

Aujourd'hui, ma passion et mon désir ont cédé la place à une appréciation inconditionnelle et heureusement fort paisible de Sherab ! Mon ami vit toujours au monastère alors que je suis désormais active dans le monde. Je n'écris pas et lui non plus. Toutefois, quand je vais à l'abbaye pour enseigner ou faire une retraite, nous passons toujours quelques bons moments ensemble, absolument ravis de nous revoir et de pouvoir échanger sur notre travail, nos réflexions et nos découvertes.

Apprivoiser ses émotions est un élément très important du « travail » spirituel. Il s'agit de dissiper les nuages passagers qui cachent le ciel toujours bleu de notre bonté fondamentale. Et dissiper ne veut pas dire rejeter, mais voir clairement. Apprivoiser ses émotions est certainement une condition incontournable pour être en paix avec soi et apprécier la vie avec les autres. N'est-ce pas là ce que nous souhaitons tous au plus profond de nos cœurs ?

Les personnes difficiles

« Je ne vois pas d'autre issue.
Que chacun de nous fasse un
retour sur lui-même et anéantisse
en lui tout ce qu'il croit devoir
anéantir chez les autres. »

– Etty Hillesum

Cher Xavier,

Je suis tellement contente que tu aies mis en pratique les enseignements sur le repos en compassion. Je t'en prie, continue, même si cela te semble difficile parfois. Cette pratique est fondamentale. Au début, quand tu vas l'appliquer, ce sera un peu comme chevaucher un cheval fou, et tu auras l'impression de ne pas pouvoir rester en selle. Mais avec l'entraînement, je peux t'assurer que tu développeras de la confiance. Plus tu seras convaincu – à partir de ta propre expérience, et non parce que je te le dis – de la fluidité et de l'absence de solidité des émotions, moins tu craindras la chevauchée. Il se peut même que tu finisses par y prendre plaisir !

Aujourd'hui, je voudrais poursuivre sur ce thème des émotions en te parlant de deux pratiques qui permettent de travailler avec ce que j'appelle « les personnes difficiles ». On a presque toujours une personne difficile dans sa vie, même dans un monastère ! En général, c'est relativement facile de manifester de la bienveillance envers les personnes que l'on aime, mais comment fait-on pour garder un cœur ouvert face aux personnes que l'on aime moins ou même pas du tout ?

Une personne difficile, ce peut être quelqu'un envers qui tu éprouves une aversion spontanée et irrationnelle. Tu ne la connais pas vraiment ou peu, mais il n'y a pas d'atomes crochus entre vous, et sa seule vue te dérange. Ce peut être aussi un patron incompétent ou abusif, un collègue de travail avec qui tu as des désaccords ou un membre de la famille avec qui tu te disputes fréquemment ou qui t'exaspère.

Cette personne difficile n'est peut-être plus dans ta vie, soit parce que tu as mis fin à la relation ou parce qu'elle est partie ou décédée. Tu sais, les morts peuvent nous obséder autant que les vivants : les psychologues le savent bien.

Laisser la chance au coureur

En général, on essaie de rester loin de nos personnes difficiles, mais dans un monastère – surtout quand il est petit comme c'est le cas de l'abbaye – il est impossible de se dérober. Et bien sûr, au cours des neuf années où j'y ai vécu, j'ai dû composer avec quelques personnes difficiles.

Une première chose que tu dois savoir, c'est qu'une personne est difficile pour soi et pas nécessairement pour les autres. Je me souviens d'une résidente envers qui j'avais une aversion quasi viscérale. Bien sûr, j'avais mille bonnes raisons pour la justifier et je pensais que tous les membres de la communauté éprouvaient les mêmes sentiments que moi. Or, un jour où nous dînions à la même table avec quelques autres, Champa, une jeune nonne, s'adressant à elle, lui a dit : « Tu es vraiment généreuse, toujours prête à aider. Et tu sais tellement de choses ! »

J'étais sidérée ! Champa appréciait précisément ce que je ne pouvais piffer chez cette personne difficile. Pour moi, sa générosité était simplement une façon de se mettre de l'avant et ses connaissances un prétexte pour étaler sa supériorité. Champa, elle, ne ressentait aucune aversion, car elle ne lui prêtait pas d'intentions. Tu vois ce que je veux dire par difficile pour soi ? L'inverse était aussi vrai : il m'arrivait d'apprécier l'exubérance ou la fantaisie d'un résident, alors que ces qualités étaient une source d'exaspération pour d'autres.

Aujourd'hui, quand j'ai des difficultés avec quelqu'un, cela m'aide beaucoup de penser qu'une autre personne l'apprécie et voit en elle des qualités auxquelles je suis complètement aveugle. Cela m'empêche de m'enfoncer dans un processus de démonisation où je perds tout sens de la perspective. Démoniser, c'est non seulement voir les défauts des autres, mais c'est surtout ne voir que cela et même en rajouter! C'est aussi oublier que ces défauts que nous voyons si bien chez les autres sont très souvent les nôtres. Me rappeler que je suis sans doute la personne difficile de quelqu'un d'autre est aussi un puissant antidote contre cette tendance à démoniser...

L'autre chose qu'il faut savoir avec nos personnes difficiles, c'est qu'elles ne le sont pas toujours, et une personne difficile peut devenir un jour notre meilleure amie! Sachant cela, j'essaie maintenant de toujours avoir un regard neuf envers toutes les personnes avec qui je suis en relation, sans toujours y réussir, tu le devines bien. Vois-tu, une rencontre a toujours lieu ici et maintenant. Quand on a une perception figée d'une personne, on ne laisse aucune chance au coureur. J'aime bien qu'on m'en donne une, alors je m'efforce d'offrir cette ouverture aux autres. Et la plupart du temps, j'ai de belles surprises.

Cela dit, il y a vraiment des relations où l'aversion, la peur et les tensions semblent incurables. Parfois, on ne sait tout simplement pas quoi faire, ou bien ce qu'on fait pour rétablir ou faciliter la communication ne donne aucun résultat. Enfin, il est parfois trop tard: la relation est rompue ou la personne est décédée. Dans ces situations apparemment sans issue, j'ai appris à appliquer deux remèdes pour maintenir mon ouverture d'esprit et demeurer alignée sur la bienveillance.

Deux remèdes

Le premier est tout simple. J'écris le nom de ma personne difficile sur un bout de papier que je dépose sur mon petit autel, dans une boîte destinée à cette fin. Si j'ai une photo, c'est encore mieux. Hélas, parfois, il y a plusieurs noms sur mon papier et quelques photos ! Comme tu n'as pas d'autel, tu peux mettre ta petite boîte sur ta table de chevet. L'important, c'est qu'elle ne soit pas trop loin de toi afin de ne pas l'oublier.

De temps en temps, le matin après avoir pris mes vœux, je prends le papier et je lis les noms qui y sont inscrits ou je regarde les photos en formulant ce souhait : « Puisse cette relation difficile être une occasion pour chacun de nous de voir en nous-mêmes ce qui fait obstacle à l'ouverture du cœur et de l'esprit. » Formuler un tel souhait peut te sembler simpliste ou un peu enfantin, mais c'est en fait très profond.

D'une part, en formulant ce souhait, j'assume ma responsabilité dans la difficulté de la relation au lieu d'en faire porter tout le poids à cet autre qui me blesse ou m'exaspère. De plus, cette simple pratique coupe la tentation de nourrir l'aversion au lieu de chercher à la dissoudre. Enfin, ce mouvement de bienveillance apaise mon esprit et me prédispose à témoigner du respect, sinon de l'amour, envers cette personne que je trouve difficile à côtoyer. Tu sais, il est difficile d'aimer tout le monde également, mais on peut au moins s'engager à être accueillant, civil et coopératif.

Mon deuxième remède consiste à chausser les souliers de l'autre. Pour te l'expliquer, je vais te raconter comment il m'est arrivé un jour de le mettre en pratique. Quand je suis arrivée à l'abbaye, je suis littéralement tombée en amour avec Ani

Palmo, une de nos Aînées aujourd'hui décédée. J'appréciais sa sagesse, sa tendresse, son humour et même ses espiègleries. Elle était notre grand-mère à tous, compréhensive mais parfois sévère. Elle nous invitait tous à tour de rôle dans son petit ermitage où elle nous offrait son écoute et ses conseils mais aussi thé, biscuits, chocolats et bonbons!

Nous sommes devenues très proches dans les mois qui ont suivi mon arrivée, et je lui dois beaucoup. Elle m'a certes aidée à persévérer malgré les difficultés de mes débuts. Toutefois, après quelques années, la relation s'est détériorée sans que je sache trop pourquoi. Elle est devenue froide, et tout ce que je disais ou faisais semblait l'irriter. De ma nonne sénior préférée, elle est devenue pour moi une personne difficile. C'est alors que j'ai décidé de chausser ses souliers. Voici comment j'ai fait.

Visualiser

Dans un premier temps, j'ai calmé mon esprit avec la pratique de la méditation de tranquillité dont je t'ai parlé dans mes lettres sur la simplicité. Puis, les yeux fermés, j'ai essayé de visualiser Ani Palmo devant moi, aussi précisément que possible, en notant ce que je ressentais devant cette image mentale. Durant l'exercice, j'ai vu une vieille femme très digne et pleine de vitalité malgré son âge et un emphysème avancé. Son regard malicieux m'a fait sourire et je me suis adoucie[*].

---

[*] Dans une situation mettant en cause une autre personne, la visualisation m'a permis de rencontrer ma peur, et j'ai su qu'il me fallait l'apprivoiser pour être en mesure de rétablir la communication.

Se mettre à la place de l'autre

Ensuite, toujours avec les yeux fermés, j'ai chaussé ses souliers. Autrement dit, je me suis mise littéralement dans sa peau. J'ai essayé de ressentir, comme elle, l'âge ainsi que la douleur et l'anxiété causées par la difficulté de respirer. J'ai imaginé comment je voyais la vie, mes relations avec les autres quand j'étais Ani Palmo. Dans sa peau, j'ai compris comment elle aimait l'abbaye où elle vivait depuis si longtemps. J'ai réalisé aussi comment sa maladie était pénible et à quel point elle avait besoin d'être entourée de gens faciles à vivre, qui l'aimaient inconditionnellement et qui appréciaient ce qu'elle avait fait. J'ai enfin pris conscience de sa bravoure.

~ ~ ~

Nous avons toujours quelque chose à offrir, ne serait-ce qu'écoute, compréhension et appréciation.

~ ~ ~

Identifier un besoin

Toujours dans les souliers d'Ani Palmo, je me suis vue avec ses yeux et j'ai tenté de comprendre ce qu'elle attendait de moi. Spontanément, le mot «gratitude» m'est venu. Tu le sais, j'ai toujours eu la critique facile : ma négativité l'irritait et la chagrinait. Elle attendait de moi que j'apprécie pleinement tout ce qui m'était offert à l'abbaye, ce monde qu'elle avait contribué à mettre en place.

Offrir

De retour dans mes souliers, les yeux maintenant ouverts, je me suis demandé si je pouvais lui offrir ce qu'elle attendait de moi. Bien sûr, dans ce cas, la réponse était oui. Dans une autre situation, avec une autre personne, il m'est arrivé de réaliser que je ne pouvais offrir ce qui m'était, semble-t-il, demandé. J'ai alors réfléchi à ce que je pouvais offrir d'autre. Tu sais, Xavier, nous avons toujours quelque chose à offrir, ne serait-ce qu'écoute, compréhension et appréciation.

Ce simple exercice contemplatif n'a pris que quelques minutes mais, quand j'ai eu terminé, je savais quoi faire. J'ai acheté une belle carte dans notre petit magasin et je lui ai envoyé un mot bien senti dans lequel je lui exprimais toute la gratitude – bien réelle – que j'éprouvais envers elle et aussi envers l'abbaye qui était la passion de sa vie. Le lendemain, au dîner, son beau sourire était revenu. Parfois, il faut juste un peu d'ouverture et de curiosité pour qu'une relation difficile se transforme.

Je crois que cette lettre devrait clore ce que je voulais partager avec toi de mon expérience de la voie du lion au monastère. Il y aurait bien sûr tellement de choses à dire encore car, dans la tradition bouddhiste, il existe de nombreuses pratiques pour maintenir l'ouverture du cœur, nourrir l'amour et la compassion, travailler avec les émotions difficiles, nos résistances et nos conflits.

Toutefois, plusieurs ouvrages traitent de ces méthodes*. Je t'invite à les lire et si tu n'en as pas envie, ces mêmes enseignements sont accessibles sur CD** et se retrouvent également

---

* Je pense par exemple à *tonglen* – l'échange de soi avec les autres – ou à la contemplation des quatre incommensurables, une pratique où l'on élargit progressivement le cercle de l'amour et de la compassion pour finalement englober tous les êtres dans tous les mondes. Ani Pema Chödron a écrit sur *tonglen* dans un livre intitulé *La voie commence là où vous êtes* et Matthieu Ricard enseigne sur les quatre incommensurables dans la plupart de ses livres.

** Consulte entre autres Shambhala Media pour les CD d'Ani Pema Chödron dont certaines causeries se retrouvent également sur YouTube.

sur YouTube. Prends le temps non seulement de les lire ou de les entendre, mais aussi de les contempler. Exerce-toi surtout à les mettre en pratique : c'est l'affaire de toute une vie ! Et peut-être de plusieurs…

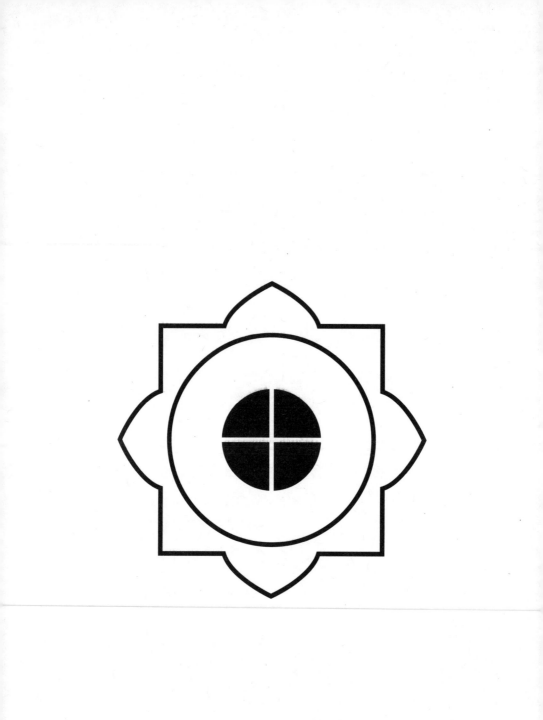

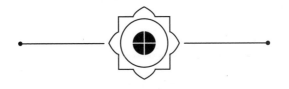

Prendre
son envol

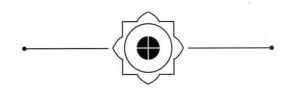

Une sagesse qui dérange

« Rien ne dure, pas même
un seul instant. »

— **Lorik**

Très cher,

Je suis arrivée à l'abbaye de Gampo il y a une semaine. Inutile de te dire que je suis absolument ravie d'être de retour en ce lieu magnifique et de retrouver Longévité, le petit ermitage que je préfère. Il n'y a pas d'eau chaude ni de douche dans mon minuscule refuge, et la toilette est une bonne vieille «bécosse» à quelques pas de la cabine. Avec l'âge, j'apprécie de plus en plus le confort, mais je suis prête à le sacrifier pour vivre quelques mois dans Longévité que j'aime tant.

Ma cabine est à cinq minutes de l'abbaye, mais, comme elle est entourée d'arbres, j'ai l'impression d'être en plein bois. J'y ai fait autrefois quelques retraites solitaires entièrement dédiées à la méditation, dont une qui a duré six mois et qui compte parmi les plus beaux moments de ma vie.

Cette fois, comme tu le sais, je ne suis pas vraiment en retraite. Je fais une pause-respiration de trois mois après quatre années trépidantes «dans le monde», où, depuis mon retour, je consacre une bonne partie de ma vie à enseigner. J'espère méditer beaucoup, étudier un peu, réfléchir, lire de bons livres, prendre un peu de temps avec quelques amis, m'offrir de longues marches et contempler la nature. Je veux aussi continuer à t'écrire.

Une étrangère

Comme à chacune de mes visites, j'ai été accueillie chaleureusement et j'étais heureuse de revoir ceux et celles qui me sont chers, dont mon ami Sherab que j'ai invité à dîner avant-hier.

Malgré tout, dans les premiers jours, j'ai ressenti une légère anxiété dont je n'arrivais pas à trouver la cause jusqu'à ce que je me donne la peine d'explorer un peu mon malaise. En fait, je n'ai pas eu à chercher longtemps pour comprendre que, depuis mon arrivée, je me sentais un peu comme une étrangère !

Le fait est que je ne suis plus chez moi en ce lieu où j'ai pourtant vécu neuf années très intenses. Bien sûr, c'est toujours le même merveilleux site, et l'abbaye se dresse encore sur la falaise face à l'océan, mais beaucoup de choses ont changé. Le directeur est nouveau. La vie monastique est prise en main par une équipe de moines et de nonnes, dont certains n'étaient même pas là quand je suis partie, en 2009. Toutes les décisions se prennent sans moi, car, bien que toujours membre de l'Ordre monastique de Shambhala, je ne suis plus liée à l'organisation du monastère. Enfin, parmi les personnes qui résident présentement à l'abbaye, plusieurs me sont inconnues. Ainsi, mes neuf années ici sont comme « une vie antérieure » dont moi seule ai le souvenir, un rêve peuplé de fantômes inconnus des vivants qui m'entourent.

Quand je vivais ici, j'avais toutes sortes de responsabilités et je me sentais très importante, voire indispensable ! Je travaillais fort, ce qui n'est pas mauvais, mais je prenais tout très au sérieux, à commencer par moi-même ! J'avais une vision, des idées, des opinions, des projets auxquels je tenais mordicus. Et cela aussi me paraissait tellement important !

Et puis voilà, je suis partie. Mes idées comme mes opinions ont été oubliées, et beaucoup de mes projets n'ont jamais vu le jour. Je les jugeais pourtant si essentiels, non seulement pour l'avenir du monastère, mais pour la voie monastique elle-même! En fait, la vie ici a continué sans moi. Très bien d'ailleurs.

Du coup, je me suis sentie «peu de choses» et j'ai mesuré mon incommensurable naïveté! Inconsciemment, j'avais espéré retrouver le monde familier où j'avais vécu et qui me paraissait si solide et rassurant. J'en étais quitte pour un bon bain de réalité: rien ne dure! C'est d'ailleurs un des enseignements fondamentaux du Bouddha: «Tout ce qui naît de causes et de conditions est impermanent.»

Tu vivrais sans doute une situation identique si, vaguement nostalgique, tu retournais au Cirque du Soleil pour une simple visite. Tu y trouverais peu de gens pour se souvenir du talentueux trapéziste que tu étais et de la tournée *Alegría*. Absorbés dans leurs nouveaux projets, les gens que tu connais auraient peu de temps à te consacrer, et ta vie actuelle les intéresserait probablement peu. Tu aurais peine à croire qu'il y a quelques années seulement le cirque était toute ta vie. Et quelle vie!

Voler sans jamais se poser

Je te raconte tout cela pour te présenter, l'air de rien, la dignité du garuda, ce grand oiseau mythique dont je t'ai déjà parlé dans une lettre précédente*. Je me souviens t'avoir dit alors que le garuda vole haut dans le ciel sans jamais se poser. Cette image signifie qu'il ne s'attache à rien. C'est un as du lâcher-prise. Il sait que la vie est comme une rivière. On peut apprécier son flot, parfois lent ou rapide, tumultueux ou tranquille,

---

* Voir la *Lettre 3*.

sonore ou discret, en sachant que l'eau qui coule, fluide et insaisissable, n'est jamais la même.

Il se peut que tu trouves la sagesse de cette dignité un peu dérangeante. En effet, elle traite de certains faits de la vie que nous avons en général de la difficulté à accepter – comme l'impermanence, la relativité des choses et la mort. Il n'y a pas si longtemps, tu détestais que je te parle de ces choses, et je comprends cela. Pourtant, y réfléchir peut nous amener à comprendre jusque dans nos tripes qu'il n'y a rien à quoi on puisse s'accrocher vraiment. «Tu penses trop!» me disais-tu. Mais tu as assez vécu maintenant pour avoir fait l'expérience de vérités incontournables : le plaisir ne dure pas et se transforme parfois en souffrance, et, en un seul instant, on peut perdre tout ce à quoi on est attaché. La tumeur au cerveau de ton grand amour en est peut-être l'illustration la plus poignante.

~ ~ ~

Il ne s'attache à rien. C'est un as du lâcher-prise.

~ ~ ~

Le garuda vole haut dans le ciel parce qu'il est libéré de l'illusion d'un moi solide et permanent[*].

Il a ainsi une vaste perspective qui lui permet de saisir d'emblée l'absence d'existence réelle de soi-même et des choses.

Cette absence d'existence des choses, on l'appelle «vacuité» dans la tradition bouddhiste. On pense parfois à tort que cette vacuité est synonyme de «vide». Mais comprends-moi bien : la vacuité ce n'est pas le néant. C'est la véritable nature de

---

[*] Voir la *Lettre 15*.

l'esprit *entièrement libre de concepts*. Le plus important de ces concepts est précisément cette notion d'un «moi solide», car elle influence chacune de nos pensées et chacun de nos gestes.

L'esprit du garuda est extrêmement lucide. Il perçoit directement les choses telles qu'elles sont – au-delà des noms ou des étiquettes dont on les affuble d'ordinaire. Il perçoit aussi le monde de façon non duelle. Autrement dit, il n'y a pas de division entre «moi» et «ceci», mais plutôt un sens de totalité. Juste ÇA. C'est l'expérience indescriptible de la conscience en éveil, nue, vive, précise et tendre. La bonté fondamentale.

Avec un tel esprit libre de concepts, une gorgée de vin a une saveur qui est sans nom. En fait, tu es cette saveur peut-être légèrement fruitée. Et, si tu demeures dans l'instant, parfaitement attentif, tu pourras constater que chaque gorgée a une saveur unique.

Tu sais, Xavier, la plupart de nos souffrances humaines proviennent non pas d'une malédiction divine ou encore d'une sorte de défaut de fabrication, mais de notre résistance à reconnaître et à accepter, de tout notre être, l'absence de solidité de notre corps, de nos idées, de nos émotions, de nos rêves, de nos souvenirs, de nos projets et de nos perceptions. Bref, de notre existence et du monde dans lequel nous vivons. Même notre précieuse planète bleue est appelée à périr quand son soleil s'éteindra… ou bien avant si nous continuons de lui manquer de respect.

Le Dalaï-Lama, à qui on a demandé un jour de résumer en un seul mot les enseignements bouddhistes, a répondu : «l'impermanence»! Pour sûr, si on se donne la peine d'observer la réalité de nos vies et du monde, il est facile de constater que tout change constamment, à commencer par nos états d'âme !

Pourtant, l'impermanence nous désarçonne, surtout quand elle signifie la fin de moments heureux et, pire encore, quand elle se manifeste brutalement. La mort, plus particulièrement, est souvent vécue comme une insulte personnelle, même si près de 250 000 personnes meurent chaque jour[*] à travers le monde. En fait, la plus petite contrariété ou la moindre déception peuvent nous faire perdre sérénité et bonne humeur !

Or, la sagesse du garuda, comme tu le verras, enseigne qu'il est possible de vivre sans être constamment ballotté ainsi entre l'espoir que les choses demeurent comme on voudrait qu'elles soient et la peur toujours présente – bien que souvent inconsciente – de perdre ce qui nous est cher et auquel on est attaché.

La sagesse du garuda nous invite à accueillir bravement la mouvance perpétuelle de nos vies et à danser avec elle, plutôt que de chercher constamment – et bien inutilement – à figer les choses.

Oups ! Il est 11 heures déjà… Ma plume s'emballe, mais je dois m'arrêter ici. C'est l'heure de ma promenade quotidienne, et je sais que, si je continue à t'écrire ne serait-ce que cinq minutes, j'aurai une bonne excuse pour ne pas la faire !

---

[*] Andrew Holecek, faisant référence aux calculs du démographe Carl Haub, indique que plus de 100 milliards d'humains sont morts depuis 55 000 avant Jésus-Christ. Il estime aussi qu'entre 156 000 et 250 000 personnes meurent chaque jour (Andrew Holecek, *Preparing to Die : Practical Advice and Spiritual Wisdom from the Tibetan Buddhist Tradition*, Boston, Shambhala Publications, 2013, p. 66.).

Et puis, tu as certainement matière à réfléchir, ne serait-ce que sur ta façon d'accueillir l'impermanence dans ta vie. Essaie de retracer les différents bouleversements que tu as connus au cours de ton existence. Comment as-tu réagi? Rappelle-toi les personnes qui ont été importantes dans le passé et qui ne font maintenant plus partie de ton monde familier. Aujourd'hui, comment vis-tu le changement? Tu approches de la quarantaine; comment te vois-tu vieillir? Est-ce que tu penses parfois à la mort?

Si tu as des questions, note-les, et on s'en reparlera. C'est excellent d'avoir des questions dans la mesure où on prend les moyens pour trouver des réponses, sinon on ne fait qu'ânonner nos doutes éternellement! Les certitudes, c'est bien. Avoir des questions et des doutes, c'est aussi très bien et parfois mieux, car c'est notre quête de réponses qui nous fait progresser. La curiosité est assurément une vertu du garuda!

~ ~ ~

C'est notre quête de réponses qui nous fait progresser.

~ ~ ~

Bien sûr, je vais revenir sur tout cela dans mes prochaines lettres en te racontant ce qui m'a aidée au monastère à me familiariser un tant soit peu avec la sagesse symbolisée par ce grand oiseau mythique. Cela te la rendra certainement plus accessible.

Toutefois, sache qu'en saisir toute la profondeur, comme celle des autres dignités d'ailleurs, ne se fait pas en un clin d'œil. Tu pourras d'ailleurs le constater, entre autres en lisant mes histoires que tu aimes tant, peut-être parce que je n'y fais pas trop belle figure! Allez, tourlou!

La fluidité
de soi-même
et des choses

« Personne ne va
s'en sortir vivant ! »

– Andrew Holecek

Salut Xavier,

Hier, le soleil était d'une luminosité époustouflante, et il faisait si chaud que je me déplaçais dans ma petite cabine – un véritable four ! – en traînant le ventilateur avec moi. Aujourd'hui, le temps est gris, et il fait très froid. On dirait bien que la météo se met de la partie pour me rappeler de ne pas m'accrocher...

On dirait une conspiration...

Ne pas s'accrocher, tu t'en souviens, est un ingrédient important de la formation monastique. De fait, à l'abbaye, on dirait que tout conspire pour nous apprendre à vivre sereinement avec le changement et l'impermanence, l'imprévu et, parfois même, le non désiré.

En ville, je remarquais peu le passage des saisons ; mais ici, où chacune d'entre elles impose ostensiblement sa majesté ou son charme, il est très perceptible d'autant plus qu'il dicte le rythme de la vie. Par exemple, l'hiver est la période de l'année consacrée à la pratique et à l'étude, alors que l'été est une période d'activité plus intense avec l'afflux des touristes et la venue des retraitants.

Il est donc impossible de s'installer dans une routine identique tout au long de l'année, et, dans ces circonstances, une « bonne nonne » s'exerce à l'humour et à la flexibilité. Ainsi, quand je commençais à apprivoiser le rythme plus lent et la claustrophobie de l'hiver, il me fallait changer de vitesse pour m'ouvrir au monde extérieur et aux besoins des visiteurs. Je pouvais choisir de rouspéter – et je l'ai fait souvent –, mais, inspirée par le garuda, j'ai fini par développer une plus grande souplesse d'esprit.

Quand un maître visitait l'abbaye, horaires et plans s'effondraient. Toute la communauté se mobilisait pour nettoyer le monastère de fond en comble, décorer l'autel, préparer les arrangements floraux, repasser draps et nappes, faire reluire la coutellerie, procéder aux derniers achats et transformer la grande salle du collège monastique en chambre confortable. Pendant quelques jours, la bienheureuse routine quotidienne était chamboulée, et je devais abandonner mes précieux livres pour m'atteler au ménage.

~ ~ ~

Inspirée par le garuda, j'ai fini par développer une plus grande souplesse d'esprit.

~ ~ ~

Même la température me rappelait constamment l'imprévisibilité des choses. Ainsi, un jour de congé, il pouvait faire beau le matin, mais en après-midi une pluie diluvienne mettait fin à l'espoir longtemps caressé d'une belle randonnée en forêt. Avec le temps, j'ai cessé de m'indigner des caprices du temps pour simplement apprécier l'orage, lequel n'avait absolument rien contre moi. Il était juste ce qu'il était : un orage.

La composition de la maisonnée changeait aussi constamment. En général, les résidents viennent pour une durée déterminée, soit le temps pour les membres de la communauté permanente de les découvrir, de les apprécier et, parfois, de créer des liens profonds avec eux avant de les laisser partir en sachant que, pour la plupart, ils ne reviendront jamais. Au début, j'étais bouleversée quand certains d'entre eux nous

quittaient. Après neuf ans, je savais que mon chagrin ne dure-
rait pas et, plutôt que de m'appesantir sur la perte, j'étais
reconnaissante de tous les bons moments vécus avec eux et
prête à accueillir « les nouveaux ».

Parfois, alors que nous étions douillettement installés dans le
confort rassurant de certaines habitudes, les horaires quotidiens, la liturgie, notre diète et même notre façon de manger
changeaient ! C'était le cas, par exemple, durant la longue
Retraite du temps des pluies.

Il arrivait aussi que certains règlements soient modifiés dans
l'esprit d'améliorer notre routine. Ainsi, au lieu de laver les
toilettes après le dîner, je devais maintenant faire ma corvée
avant le déjeuner. Ici encore, apprendre à me plier de bonne
grâce à l'inévitable – dans la mesure où il n'implique pas mort
d'homme ! – m'a rendu la vie plus facile.

Enfin, les responsabilités étaient également sujettes au changement. En neuf ans, j'ai assumé plusieurs tâches, dont la
direction de la pratique, la responsabilité de la formation
monastique, la coordination des activités du collège monastique et la coordination du conseil monastique.

Cela a exigé que j'acquière une certaine aisance avec la fluidité des choses, d'autant plus que j'avais rarement un mot à
dire sur mon affectation, souplesse monastique oblige. Il m'a
fallu aussi pratiquer un noble détachement pour accepter, avec
patience et un brin d'humour, que mon successeur oublie ou
modifie les protocoles de travail que j'avais si minutieusement
élaborés ! Pour être honnête avec toi, l'humour ne me venait
pas tout de suite ! On s'attache à tout, y compris à nos réalisations, ne trouves-tu pas ?

Des rappels de notre finitude

Comme si tout cela ne suffisait pas à nous enseigner l'impermanence, la présence de la mort venait évoquer, parfois brutalement, notre inévitable finitude et son imprévisibilité.

Un jour, par exemple, Lily, une résidente, a reçu un appel de chez elle au Colorado l'informant que son fils, âgé d'une trentaine d'années, était porté disparu. Quelques jours plus tard, la nouvelle venait attrister toute la communauté : son fils s'était donné la mort. Son journal intime laissait deviner le possible motif de son suicide : il vivait son homosexualité comme une tare honteuse dont il ne pouvait parler à personne. Ce jour-là, je t'ai téléphoné : je voulais que tu saches qu'il n'y avait rien, absolument rien, que je ne puisse entendre.

Et puis il y a eu le 11 septembre 2001. La destruction du World Trade Center a frappé si fort notre imagination collective que seule une date suffit pour nommer l'événement. Pas besoin d'en dire plus pour rappeler ce drame : par un beau matin d'automne comme les autres, des milliers de vies fauchées en peu de temps, atrocement et sans préavis.

La mort s'introduisait aussi dans nos vies de façon parfois inattendue et bouleversante. Un matin, nous avons découvert le cadavre d'une femelle orignal près de notre jardin. Dans la semi-obscurité de l'aube, elle avait coincé sa tête entre les deux cordes d'une balançoire. Dans l'espoir de se déprendre, elle avait tourné sur elle-même plusieurs fois jusqu'à ce qu'elle s'étrangle. Nous étions tous atterrés. C'est la seule fois en neuf ans que j'ai vu mon frère Jinpa pleurer.

Enfin, en 2007, ma grande amie Marielle, ma sœur de cœur, est morte d'un cancer du cerveau. Lorsque les traitements ont été interrompus, sachant que je venais enseigner à Montréal sous peu, elle a promis de m'attendre pour mourir, mais elle est décédée la veille de mon arrivée. La mort choisit habituellement son heure.

La longue maladie et le décès de Marielle m'ont hantée longtemps et ont fait surgir en moi beaucoup d'angoisse. Elle avait mon âge. C'était un peu comme si la grande faucheuse venait frapper à ma porte pour me dire : « Oh là, m'as-tu oubliée ? La prochaine fois, ce sera ton tour ! » De plus, sa maladie, qui avait détruit progressivement ses facultés – dont celle de s'exprimer –, me rappelait qu'on meurt parfois longtemps avant de mourir et que la mort elle-même n'est pas toujours « propre ».

Jusqu'alors, j'avais toujours pensé que, au contraire de la plupart des gens, je ne redoutais pas la mort. En fait, si je ne la redoutais pas, c'est que je n'y pensais jamais ! Avec la mort de mon amie, j'ai compris que l'idée de mourir me terrifiait ! Il m'a fallu quelques mois pour vraiment apprivoiser cette incontournable réalité sans céder à la panique : un jour, je vais mourir. « Personne ne va s'en sortir vivant !* » Refuser d'y penser n'y change rien. Alors mieux vaut regarder les choses en face. Même à ton âge, mon cher fils.

~ ~ ~

Contempler la mort n'est pas particulièrement sinistre.

~ ~ ~

Tu sais, contrairement à ce que tu peux croire, contempler la mort n'est pas particulièrement sinistre. Au contraire, cela

---

* « Nobody is going to get out of this alive » ; Andrew Holecek, *Ibid.*, p. 26.

peut nous apprendre à mieux vivre. Quand on cesse de se croire éternel, on peut réfléchir au sens de sa vie et clarifier ses priorités. Le plus tôt on se libère de cette illusion, le mieux c'est, car on peut alors vivre chaque instant comme si c'était le dernier, ce qui est une source de profond contentement.

L'une des façons de réfléchir à la mort consiste à se demander fréquemment : « Si je devais mourir dans six mois ou un an, comment voudrais-je vivre pour partir sans regret ? » J'aimerais vraiment t'entendre là-dessus.

Chose certaine, la meilleure préparation à la mort consiste à acquérir une parfaite certitude au sujet de la vraie nature des choses. En effet, plus on a fait l'expérience de l'absence d'un moi solide et permanent, plus il est facile de mourir. Car si l'ego n'existe pas, qui meurt ?

~ ~ ~

Si je devais mourir dans six mois ou un an, comment voudrais-je vivre pour partir sans regret ?

~ ~ ~

Déploie tes ailes

« Relaxe, rien n'est
sous contrôle ! »

— Dzigar Kontrül Rinpoché

Cher, très cher fils,

Aujourd'hui, j'aimerais te raconter une autre de mes aventures à l'abbaye, histoire d'illustrer la façon dont notre constant ronron mental nous empêche de déployer nos ailes pour voler haut dans le ciel à l'instar du garuda. Il y sera encore question d'Ani Pema. Tu trouves que je parle beaucoup d'elle. C'est un fait. Vois-tu, Ani Pema n'était pas seulement l'enseignante principale à l'abbaye, elle a aussi été ma directrice spirituelle pendant quelques années.

Quand je lui ai demandé de jouer ce rôle, elle a accepté de bon cœur en me disant toutefois : « Tu comprends que je ne suis pas là pour te donner des petites tapes sur l'épaule. Ma tâche consiste à t'aider à te libérer de tous tes attachements. Au bout du compte, c'est pour ça que tu es venue au monastère ! » « Bien sûr », ai-je répondu. En réalité, je n'en menais pas large ! Après tout, on s'attache… à nos attachements !

Ainsi, plusieurs des leçons que j'ai apprises à l'abbaye proviennent des enseignements et des conseils qu'Ani Pema m'offrait en diverses circonstances, selon le besoin. Certains d'entre eux avaient parfois un goût amer comme ces médicaments infects qu'on avale à contrecœur parce que c'est notre seule chance de guérir, de ne plus souffrir.

Au sujet de l'insatisfaction

Ani Pema s'employait entre autres à débusquer les habitudes mentales qui m'empêchaient de faire l'expérience de cette fameuse vacuité dont je t'ai parlé et de savourer ce qu'elle offre, soit le calme et vaste espace de la conscience en éveil, libre de mes ronrons égoïques.

Je te l'ai déjà dit, comme bien des gens, j'étais une perpétuelle insatisfaite. Et penser que je ne suis pas la seule ne m'est d'aucun réconfort! C'est tellement souffrant de toujours vouloir être ailleurs ou quelqu'un d'autre. Ne trouves-tu pas?

Adolescente, je rêvais d'être plus grande – comme si je pouvais y faire quelque chose! J'aurais aussi aimé être plus jolie, plus mince, plus féminine et plus élégante, et avoir du talent pour chanter et peindre. Puis, durant toute ma vie, je n'ai cessé d'imaginer d'innombrables scénarios d'avenir tous plus palpitants les uns que les autres et qui, pour la plupart, ne se réalisaient jamais! Perdue dans ces ronrons, j'étais incapable de reconnaître ma bonté fondamentale et d'apprécier ma vie *réelle,* celle dont on fait l'expérience quand on est attentif à chacune des perceptions sensorielles qui surgissent brièvement dans notre seul esprit pour ne plus jamais revenir.

Tu penses peut-être qu'au monastère je suis devenue plus raisonnable. Eh bien non! J'avais passé 13 ans à vouloir venir y vivre, mais, maintenant que j'y étais, je rêvais de revenir à Montréal – en particulier quand les choses étaient difficiles. Cela pouvait durer des jours, pendant lesquels j'accablais mon entourage de toutes mes bonnes raisons de vouloir partir et de toutes les merveilleuses choses que je pourrais accomplir quand je serais chez moi et que je pourrais parler ma langue!

Même si je ne m'en rendais pas compte, je disais aux autres: «Si les choses ne se passent pas comme je le veux, je vais partir!» De fait, tout le monde entendait mes ruminations pour ce qu'elles étaient: des menaces! À mon crédit, je dois dire que c'était aussi une façon de dire: «J'ai mal. Ça ne va pas. Aidez-moi.» Menacer dans l'espoir inconscient d'obtenir un soutien est très maladroit. Aussi mon besoin était-il rarement entendu par ceux et celles qui m'entouraient. En réalité, j'ai bien peur que mes propos aient simplement ennuyé tout le monde !

Ce scénario a malheureusement duré quelques années, jusqu'à ce qu'Ani Pema me demande un jour de lui écrire une lettre dans laquelle je m'engageais à rester au monastère pour au moins cinq ans ! C'était peu de temps avant mon ordination majeure, laquelle a eu lieu à Los Angeles en décembre 2004. Je croyais donc qu'Ani Pema me demandait de sceller cette nouvelle et dernière étape dans ma vie monastique par un engagement envers l'abbaye et j'ai obtempéré de bonne grâce.

Il y avait peut-être de ça, mais c'était beaucoup plus que cela ! Ayant pris un tel engagement, je ne pouvais plus chausser les vieilles bottines de l'insatisfaction et des menaces. Dès que je commençais mon sempiternel ronron, je devais m'arrêter, car – c'était écrit et signé – je resterais au monastère pour au moins cinq ans, contente ou non !

Chaque fois que je devais renoncer à mon ronron, j'avais l'impression qu'un gouffre s'ouvrait devant moi. Je perdais pied. Pour comprendre ce que je ressentais, imagine ce que tu éprouverais si ton patron te disait que tu es remercié ou si Stéphane t'annonçait qu'il te quitte. Ne plus pouvoir se réfugier dans un de nos ronrons habituels quand ça va mal nous met directement en contact avec l'expérience de l'absence de sol sous nos pas. Tout changement d'habitude ou toute nouvelle inattendue – bonne ou mauvaise d'ailleurs – peut avoir le même effet. L'espace d'un instant, l'esprit est nu, sans pensées, et on peut alors percevoir son ouverture sans limites, sa clarté et son intelligence. On a l'impression de sauter dans le vide et on se sent à la fois très tendre et vulnérable.

Ce genre de situation peut faire naître une vague anxiété, en particulier quand notre esprit ne nous est pas familier. D'où l'importance encore une fois de méditer et d'apprendre à apprivoiser nos émotions.

En général, pour fuir cette anxiété, on se réfugie de nouveau dans un autre ronron familier. Nos ronrons s'enfilant rapidement l'un à la suite de l'autre, on ne perçoit pas la brèche qui existe entre eux et dans laquelle on peut découvrir la nature spacieuse et bienveillante de notre esprit. On finit donc par avoir l'impression d'être une personne solide, avec une vie continue et une histoire bien cohérente et réelle.

Mais cette histoire est-elle aussi solide qu'on le croit ? Vois par toi-même. Pense à un film que tu as vu dernièrement et rappelle-toi l'intrigue. Rappelle-toi ensuite le scénario d'un rêve récent. Enfin, essaie de te souvenir de ce que tu as fait hier. Il y a de fortes chances que ces trois expériences t'apparaissent toutes comme un rêve. Irréelles. Sans aucune différence, par exemple, entre le film et le souvenir de ta dernière journée. Et de fait, toute notre vie est comme un rêve. Sans substance, éphémère. Une bulle d'eau transparente à la surface de l'océan.

Le petit côté sympathique de l'impermanence

Lorsqu'on médite régulièrement, on apprend à remarquer les brèches ou les pauses entre les pensées. Avec le temps, ces brèches s'élargissent. Grâce à un esprit désormais plus clair et inquisiteur, on peut ainsi faire l'expérience de l'esprit nu, vaste, naturellement calme et toujours accessible. Méditer consiste alors à se familiariser avec cette conscience spacieuse, entièrement libre de concepts – y compris ceux d'espace et de temps. On s'exerce alors à y reposer.

Quand on arrive ainsi progressivement à se détendre dans l'absence de solidité des choses, on est de moins en moins à la merci des événements. On cesse d'être constamment en mode réactif et on acquiert alors une grande stabilité mentale et émotive. La stabilité, cela ne veut pas dire qu'on ne ressent plus rien. Au contraire ! Par exemple, on ressent intensément les sensations physiques liées aux émotions parce qu'on est entièrement présent à soi-même. Toutefois on comprend aussi la volatilité de ces émotions et on les laisse donc traverser le firmament de notre esprit sans s'y accrocher.

~~~

Rappelle-toi, rien ne dure et surtout pas nos émotions, même les plus pénibles !

~ ~ ~

Oui, on peut ressentir de la peur, de la colère ou de la tristesse quand on fait face à des situations difficiles. Toutefois, si on a le courage de pratiquer le repos en compassion[*], dont je t'ai déjà parlé, et si on ose demeurer attentif à l'énergie de l'émotion tout en renonçant à suivre nos pensées, le malaise va inévitablement se dissiper. Rappelle-toi, *rien ne dure* et surtout pas nos émotions, même les plus pénibles ! C'est le petit côté sympathique de l'impermanence.

J'ai lu récemment sur Facebook cette pensée qui m'a fait bien rire : « Relaxe, rien n'*est sous contrôle* ! » Effectivement, rien

---

[*] Voir la *Lettre 19*.

n'est *sous contrôle*, mais, au lieu de céder à l'anxiété, on peut apprendre à abandonner toutes les stratégies qui servent habituellement à mettre un sol sous nos pas. On peut relaxer, ici et maintenant, en laissant l'esprit reposer en lui-même. Libre. Vraiment libre, comme le garuda. Cela s'appelle « savourer l'espace ».

En terminant cette lettre, mon cher Xavier, je t'invite à identifier les ronrons qui reviennent souvent dans ta vie. On en a tous. On grogne. On chiale. On rabâche constamment les mêmes souvenirs. On se rappelle nos torts ou ceux des autres. On rumine nos échecs. On s'inquiète de l'avenir. On ne se sent pas assez apprécié. On se pense meilleur ou moins bon que les autres… Bref, il y a une infinité de possibilités, mais en général on a tous quelques favoris qui reviennent constamment. Le plus drôle – ou le plus triste –, c'est qu'on ne se rend même pas compte qu'on radote. On ne se rend surtout pas compte de la façon dont ces ronrons nous empêchent de prendre notre envol.

~ ~ ~

Libre. Vraiment libre, comme le garuda. Cela s'appelle « savourer l'espace ».

~ ~ ~

En fait, on a souvent tendance à mieux voir les ronrons des autres que les nôtres ! Mais si tu fais l'effort d'identifier les tiens, tu vas les reconnaître quand ils vont venir squatter temporairement ton bel esprit ouvert, frais, tendre et curieux. Alors la consigne est simple : lâche prise ! Reviens à tes sens maintenant ! Apprécie les formes, les couleurs, les odeurs, les saveurs et les textures sans t'accrocher à ces perceptions. Vis. Déploie tes ailes.

Une affaire de loyauté

« On est fidèle à soi-même
en avançant sur la voie
de la vertu. »

– Sakyong Mipham Rinpoché

Très cher fils,

J'ai reçu ta lettre hier matin, et elle m'a fait bien plaisir. Je sais que tu n'aimes pas trop écrire, alors j'apprécie d'autant plus ton geste.

J'ai particulièrement aimé lire la liste de tes ronrons habituels. Sache que je reçois ce partage comme une marque de confiance, et que cela me touche.

Je vois que tu te connais bien, et c'est excellent. Impossible de prendre son envol si on n'est pas conscient de ce qui nous retient au sol !

Bien sûr, je connaissais certains de tes scénarios favoris, dont cette tendance que tu as à ronchonner au sujet de tout et de rien. C'est un gène familial, me dis-tu, que tu aurais hérité de moi ! Bon, je veux bien assumer la responsabilité d'une transmission par l'exemple. Toutefois, ne le prends pas mal si je te dis qu'il t'appartient maintenant de changer cette vilaine habitude, peu importe d'où elle vient. S'il le faut, relis ma lettre au sujet du renoncement*.

Être soi-même

Changer, est-ce possible ? Ma chère amie Dominique s'entête à dire qu'on ne change pas. C'est un point de vue d'ailleurs partagé par beaucoup de gens. Il arrive souvent qu'on me dise, par exemple : « Je suis impatiente et je ne changerai pas. C'est moi ça, et je m'accepte pleinement. »

---

* Voir la *Lettre 4*.

Dans la tradition bouddhiste, il est effectivement important de s'aimer et d'être soi-même, mais qu'est-ce que ça veut dire ? Certainement pas de nourrir et de propager nos névroses !

Oser être soi-même, ça veut plutôt dire être loyal à notre potentiel inné de sagesse et de compassion, cette bonté fondamentale dont je t'ai parlé à maintes reprises. C'est cela la véritable authenticité. Une personne qui pratique une telle authenticité est en général bien entourée, car elle rayonne la confiance et la bonté. Pour sûr, contrairement à ce que bien des gens pensent, l'authenticité ne consiste pas à agir comme bon nous semble au gré de nos émotions, peu importe les répercussions de nos actions sur les autres. Rien de plus déplaisant et nuisible, par exemple, qu'une personne qui dit tout ce qui lui passe par la tête – même si cela blesse des gens – sous prétexte d'être authentique.

~ ~ ~

Notre véritable nature est ouverture, tendresse et sagesse.

~ ~ ~

Rappelle-toi, notre véritable nature est ouverture, tendresse et sagesse. Tout comme le bleu du ciel, elle est toujours présente, car elle ne dépend pas de causes et de conditions. Par contre, nos humeurs vont et viennent, comme les nuages, sans jamais modifier la couleur du ciel. Il est simplement temporairement obscurci. Autrement dit, il n'est pas dans notre « nature » d'être impatient. Ce n'est qu'un événement climatique ! On peut avoir une forte disposition à l'impatience pour toutes sortes de raisons, dont une mère malcommode, mais rien n'est jamais figé en nous ; autrement tout serait perdu d'avance ! Le garuda sait cela. Alors, sans aucune hésitation, il tranche net dans le « gras » de l'habitude !

Quand on est fidèle à la bonté fondamentale, on est soucieux de ne pas se nuire et de ne pas blesser ou heurter quiconque. Quand on est impatient, on accueille cette émotion dérangeante – avec curiosité et bienveillance. Cela ne veut pas nécessairement dire qu'on doit la manifester. Et si on décide d'exprimer notre mécontentement, on le fait avec l'intention d'amener un changement positif. Cela veut dire qu'on va choisir la personne à qui parler ainsi que le bon moment pour le faire, bien peser nos mots et être attentif à notre ton. Il y a une différence entre engueuler la caissière au supermarché parce qu'on trouve le service trop lent et s'adresser poliment au gérant pour lui suggérer d'ouvrir plusieurs caisses aux heures de pointe. Tu vois ce que je veux dire ?

Je trouvais important de clarifier cela avec toi avant de te raconter une autre histoire.

Éloge de
la déception

---◆---

« La vie, c'est ce qui arrive quand
on avait prévu autre chose. »

– John Lennon

Cher Xavier,

Ani Pema est devenue ma directrice spirituelle à l'hiver 2004 durant son séjour annuel au monastère. Lors de ma première rencontre avec elle, je lui ai demandé la permission de quitter l'abbaye pour une dizaine de jours afin de pouvoir participer à un programme de formation. Comme il s'agissait d'un préalable à la retraite de trois ans que je souhaitais entreprendre en 2005, j'étais certaine qu'Ani Pema me donnerait la permission d'y prendre part même si, en général, personne n'est autorisé à quitter l'abbaye pendant la *Retraite du temps des pluies.*

Quelle ne fut pas ma surprise – ma désagréable surprise, dois-je le préciser – quand Ani Pema m'a dit, avec un beau sourire et une grande douceur dans la voix : « Ani Lodrö, j'aimerais *tellement* te faire plaisir, mais hélas je dois te dire " non " parce qu'il te faut apprendre à vivre avec la déception ! »

J'étais sidérée ! C'était une autre expérience du gouffre, mais cette fois je n'ai absolument pas pu me détendre dans l'absence de solidité des choses et la perte de contrôle ! Au contraire, j'ai protesté, crié à l'injustice, discuté et négocié. Peine perdue.

À la fin de notre rencontre, Ani Pema m'a demandé d'offrir ma compassion à tous ceux et celles qui, comme moi, vivaient de la déception en ce jour même, pour des raisons bien plus dramatiques qu'une simple permission refusée. En général, penser aux autres aide à mettre les choses en perspective, mais, cette fois, j'étais tellement dépitée que le thermomètre de ma compassion frôlait le point de congélation. Simple manque d'entraînement !

Ani Pema m'a demandé de préparer un plan de rechange qui me permettrait de suivre la formation désirée à un autre moment. Elle m'a toutefois promis de revenir sur son refus si ce plan ne fonctionnait pas, car elle ne voulait pas m'empêcher d'entreprendre éventuellement la longue retraite dont je rêvais.

Pendant quelques jours, j'ai été d'une humeur massacrante, car je n'ai jamais aimé qu'on me dise quoi faire! Quand je rencontrais Ani Pema, j'étais de glace et j'affichais ostensiblement mon mécontentement. Oui, je l'avoue, c'était enfantin. Mais même les adultes, la plupart du temps matures et responsables, peuvent se conduire comme des enfants quand ils sont déçus!

Tu t'en doutes, bouder n'a absolument rien donné. Un jour, j'ai reçu un petit mot d'Ani Pema. Je ne me souviens plus des termes exacts, mais il disait *grosso modo*: «Ani Lodrö, ton humeur ne me fera pas changer d'avis.»

J'étais vraiment coincée. Alors je me suis attelée à préparer le plan de rechange qu'elle demandait. De fait, le même programme était offert l'automne suivant à Karmê Chöling, un centre de méditation à trois heures de Montréal. Si je m'y inscrivais, je pouvais m'organiser pour passer quelques jours avec toi et mes amis. Comme je devais prendre l'avion, ce qui n'était pas prévu dans mon projet initial, Ani Pema offrait de couvrir les frais de mon voyage! Enfin, comme j'allais rater les activités du collège monastique, elle me suggérait de les remplacer par une session intensive d'étude personnelle. Cela me convenait parfaitement.

Plus je réfléchissais, plus je devais admettre que le plan de rechange était beaucoup plus intéressant que le plan initial.

Du coup, j'ai compris la leçon : quand on s'attache de manière forcenée à ses projets, on se programme inévitablement pour la déception, car souvent les choses ne se déroulent pas selon nos attentes. Et surtout, il n'y a pas d'espace pour des meilleurs possibles. Il n'y a pas d'espace non plus pour le dialogue. L'esprit vaste semble prendre les dimensions d'un dé à coudre !

J'ai donc revu Ani Pema pour conclure une entente avec elle. Elle était enchantée que j'aie enfin compris ce qu'elle tentait de m'apprendre depuis mon arrivée au monastère : moins on a d'attachements, plus on vit content, sans espoir de gagner ou de perdre.

~ ~ ~

Moins on a d'attachements, plus on vit content, sans espoir de gagner ou de perdre.

~ ~ ~

Or, quelques jours plus tard, mon mentor Lodrö Sangpo lui écrivait une lettre lui demandant de me permettre d'assister au fameux programme de formation durant la *Retraite du temps des pluies,* car selon lui ma présence au collège monastique à l'automne s'avérait essentielle.

J'étais présente quand Ani Pema a lu cette lettre. Elle n'a pas bronché. Elle n'a manifesté aucun signe d'ennui ou d'irritation. Alors qu'elle avait jusque-là fermement refusé mon départ pendant la retraite, elle a rapidement changé d'avis et elle m'a finalement laissée libre de choisir ce que je voulais faire. « Tu as compris la leçon, m'a-t-elle dit. C'est inutile d'insister. »

En agissant ainsi, elle me démontrait qu'elle avait elle-même apprivoisé la sagesse du garuda qui ne s'attache à rien – ni à ses projets, ni à ses opinions, ni à une façon particulière de voir les choses. Une telle flexibilité permet de danser intelligemment avec les circonstances toujours mouvantes de la vie.

Est-ce que je peux vivre avec cela?

Tu vois, Xavier, la réaction d'Ani Pema m'a donné confiance. On peut le faire, on peut accueillir ce que la vie nous apporte sans s'efforcer de toujours tout contrôler ou sans s'effondrer lorsque les choses ne sont pas comme on voudrait qu'elles soient. Après tout, comme mon ami Rémi l'a écrit sur le mur de son salon, «la vie, c'est ce qui arrive quand on avait prévu autre chose* »!

Quand la déception surgit ou qu'on a l'impression d'être face à un mur, on peut se demander: «Et si c'était la meilleure chose qui pouvait m'arriver?» Ou bien: «Comment puis-je transformer cet obstacle en situation favorable?» On peut aussi se dire: «Est-ce que je peux vivre avec cela?» La réponse est «oui». Quand on cesse de se plaindre ou de résister à ce qui est là, notre sagesse naturelle nous guide, et on trouve en soi l'énergie, la créativité et les ressources dont on a besoin pour faire face à l'adversité. Ce n'est pas nécessairement facile, mais au moins on n'ajoute pas à notre souffrance avec notre refus d'accueillir radicalement ce qu'il y a au menu de notre vie.

Est-ce à dire qu'on ne devrait jamais faire de projets? Pas du tout. On peut certainement avoir des plans et des projets. On peut même consacrer beaucoup d'efforts à les réaliser tout en sachant qu'il suffit de peu pour que tout bascule. Autrement dit, fais de ton mieux et prépare-toi au pire!

---

* John Lennon, «Beautiful Boy (Darling Boy)», *Double Fantasy*, New York, Geffen Records, 1980.

Est-ce à dire aussi qu'on ne peut pas avoir d'opinion ferme sur une question ? Je ne crois pas. Mais l'ouverture à d'autres points de vue est toujours de mise.

L'attachement à des opinions ou à des visions génère tellement de conflits – dans les familles, les lieux de travail et les diverses communautés humaines – alors qu'un peu de curiosité et d'ouverture permettraient non seulement une plus grande compréhension, mais aussi, lorsque nécessaire, la recherche de solutions nouvelles et créatrices fondées sur un consensus ou sur des compromis acceptables.

~ ~ ~

On peut accueillir ce que la vie nous apporte sans s'efforcer de toujours tout contrôler.

~ ~ ~

Chose certaine, aucune opinion ou aucune croyance – politique, religieuse ou même laïque – ne mérite qu'on nourrisse la haine et le mépris envers ceux et celles qui ne la partagent pas. C'est une condition de base pour créer une société éveillée. Il est particulièrement important de se le rappeler en cette période de l'histoire humaine où les sociétés deviennent de plus en plus diversifiées et où les moyens de communication permettent de propager en un éclair non seulement de l'information, mais aussi le respect ou la haine.

Allez, je m'arrête là-dessus cher fils. J'espère que tu poursuivras ta réflexion sur l'impermanence afin que la conscience de cette réalité commence à influencer ta conduite et tes choix, pour le mieux.

Tu sais, Xavier, l'une des dernières recommandations du Bouddha à ses disciples avant de mourir a été : « Soyez votre propre flambeau. Ne croyez rien que vous n'ayez vérifié par vous-mêmes. » J'ai toujours aimé ce passage dans les sûtras[*]. Je peux même dire que ce conseil du Bouddha a joué un rôle décisif dans ma conversion, car c'est une approche à l'opposé du dogmatisme. Lisant cela, j'ai retrouvé confiance en mon potentiel de sagesse et j'ai eu envie d'utiliser mon intelligence pour, tout comme lui, voir les choses correctement.

En terminant cette série de lettres sur la sagesse du garuda, je n'ai qu'un seul souhait. C'est que toi aussi, mon fils, tu veuilles relever ce défi. La bonne nouvelle, c'est que tu es parfaitement équipé pour le faire !

---

[*] Les sûtras font partie des écritures bouddhiques. On y retrouve divers enseignements du Bouddha sur les faits fondamentaux de la vie (comme l'impermanence), sur le karma, sur certaines vertus (comme la discipline et la générosité) et, enfin, sur la pratique de la méditation.

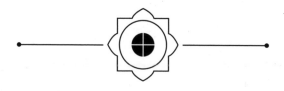

Cette sagesse insondable

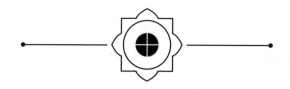

Le vrai goût du chocolat!

« Il y a quelque chose d'insondable
chez le dragon, quelque chose qui
échappe à la compréhension. »

— Sakyong Mipham Rinpoché

Cher Xavier,

Depuis ma dernière lettre, je me creuse les méninges pour savoir comment te présenter la dernière dignité, celle du dragon.

En Occident, le dragon n'a pas toujours bonne presse. En effet, dans notre folklore et dans les histoires qu'on raconte aux enfants, on le dépeint le plus souvent comme un monstre menaçant que de vaillants chevaliers s'efforcent de terrasser pour prouver leur valeur ou pour libérer une princesse captive !

En Orient, il en va tout autrement. Par exemple, dans le *I Ching**, le célèbre livre de divination chinois, le dragon représente l'énergie créatrice.

Dans la tradition du bouddhisme de Shambhala, il symbolise la sagesse ultime, soit l'expérience directe – profonde et irréversible – de l'ouverture et de la compassion infinies de l'esprit.

Le dragon a en effet complètement percé l'illusion de l'ego**. Et, rassure-toi, il n'y a rien de triste dans cette expérience. Au contraire, elle est source de grande joie. Rappelle-toi le bien-être que tu as ressenti dans ce petit moment d'éveil dont tu m'as déjà parlé. Ramené dans l'ici et maintenant par la beauté de la neige qui tombait, ton esprit jusqu'alors absorbé par tous tes soucis est devenu soudainement libre de pensées, complètement nu, léger, serein et confiant***. On pourrait dire que tu as alors vécu un « moment-dragon » : spontané, très bref, mais puissant.

---

* Richard Wilhelm, *Yi King: Le livre des transformations,* Paris, Librairie de Médicis, 1973, 804 pages.
** Voir la *Lettre 15.*
*** Voir la *Lettre 2.*

Toi et moi, nous sommes appelés à chaque instant à vivre de tels moments. Plus tard, je compte bien t'expliquer la façon dont tu peux répondre à cet appel. Sache toutefois que l'esprit du dragon complètement mature est perpétuellement en état d'éveil, toujours dans l'ici et maintenant, avec un cœur ouvert, tendre et vulnérable. Il ne fait aucun effort : *il est* sagesse. Dans le jargon bouddhiste, on dit que c'est un « être réalisé ».

Une expérience inexprimable

On dit parfois de la sagesse du dragon qu'elle est insondable, car elle échappe à la compréhension intellectuelle. Oui, je sais, tu aimerais que je puisse t'expliquer les choses de façon analytique et rationnelle, mais hélas ce n'est pas possible. L'éveil à notre sagesse innée est une expérience sans nom.

Pour nous faire comprendre un tant soit peu l'impossibilité de communiquer cette expérience inexprimable, un merveilleux professeur qui a enseigné plusieurs années au collège monastique de l'abbaye nous disait : « Pouvez-vous réellement communiquer le goût du chocolat, la saveur de cette bouchée suave qui vient ravir vos papilles gustatives ? » La réponse est « non », bien sûr.

Tu vois, Xavier, si tu manges un morceau de chocolat, tu pourras peut-être me dire : « Hum... il est sucré, amer ou doux-amer. » Mais ce sont là des mots, et les mots ne communiqueront jamais la « véritable chose », c'est-à-dire ton expérience directe – unique et personnelle – de la saveur du chocolat lorsqu'il fond dans ta bouche.

On dit parfois que les maîtres ne transmettent jamais la sagesse. Ils suscitent la réflexion et indiquent une direction.

Ils enseignent des pratiques qui nous enracinent dans le maintenant, comme la méditation. Ils aiguisent notre intelligence ainsi que notre capacité d'intuition. Ils coupent dans nos ronrons, parfois brutalement, et nous ramènent à nos perceptions sensorielles.

Pour enseigner, ces maîtres spirituels utilisent des analogies, des symboles, des gestes, des rituels ou certaines formes d'art. Enfin, ils placent parfois leurs élèves dans des situations très inconfortables qui les obligent à quitter le cocon de leurs habitudes et de leurs certitudes illusoires afin de pouvoir s'ouvrir totalement *à ce qui est*. C'est ce que faisait Ani Pema, par exemple, quand elle s'employait à retirer le tapis sous mes pieds pour mettre fin à mes ronrons favoris*.

C'est aussi ce que Lodrö Sangpo, mon mentor, a tenté de faire un soir de repos, alors que je flânais dans la salle à manger avec un certain vague à l'âme. Il s'est assis à ma table et il m'a dit : « Au lieu de ruminer tes histoires tristes, tu devrais t'exercer à voir les choses telles qu'elles sont. » Je ne comprenais évidemment pas ce qu'il voulait dire. Alors il a saisi un pamplemousse dans le bol de fruits et il a dit : « Tu appelles ça «un pamplemousse»! Est-ce vraiment cela que tu vois, un pamplemousse ? »

Alors j'ai regardé le pamplemousse très attentivement : je voulais tellement comprendre ! Je l'ai regardé encore et encore, entièrement présente à ce que je voyais, curieuse, très curieuse. Et bien sûr, quand je regardais vraiment, je ne voyais pas un pamplemousse ! Je voyais une forme ronde dont la texture était légèrement rugueuse avec – aurait-on dit – plein de petits

---

* Voir la *Lettre 4* et la *Lettre 15*.

pores… Cette forme avait une teinte plutôt jaune dont l'éclairage multipliait les nuances.

J'avais perdu tout sens de « moi », et pourtant, mes perceptions étaient claires, vives et précises. « Pamplemousse » était un nom, une étiquette que j'appliquais à cette expérience. J'ai alors compris que, lorsque je n'y prêtais pas attention – c'est-à-dire la plupart du temps –, l'habitude de confondre l'étiquette que j'attribuais à tout ce que je voyais, entendais, goûtais, sentais et touchais avec les perceptions elles-mêmes m'empêchait d'aller au fond des choses et de vraiment voir la réalité derrière le concept.

~ ~ ~

C'étaient des moments comme celui-ci qui donnaient du sens à mon exil !

~ ~ ~

C'était indéniablement un « moment-dragon », une intuition des choses telles qu'elles sont et non pas telles qu'on les pense ou les nomme. Voyant que j'avais compris, Lodrö a terminé notre conversation en me disant : « Lorsque tu verras constamment les choses ainsi, tu seras certainement moins triste. » Et il avait raison. Cette seule petite percée vers la clarté – soit la perception des choses telles qu'elles sont – tout aussi modeste fut-elle, avait complètement dissipé mon vague à l'âme.

C'étaient des moments comme celui-ci qui donnaient du sens à mon exil !

Des modèles de sagesse

Avant de t'inviter très concrètement à être l'esprit du dragon, j'ai pensé qu'une bonne façon d'illustrer cette dignité serait de te présenter des êtres qui, selon moi, l'incarnent parfaitement.

Je vais donc d'abord te faire part de ce qui m'a le plus frappée chez les maîtres de sagesse que j'ai eu la chance de rencontrer ou de voir, soit lors de leurs visites à l'abbaye ou en regardant des vidéos de leurs enseignements.

Ces maîtres de sagesse ne sont pas des personnages de contes de fée, mais des hommes ou des femmes en chair et en os, avec des personnalités, des façons différentes de se manifester dans le monde et un style d'enseignement qui leur est propre. Certains sont des laïcs, comme Chögyam Trungpa et son fils, le Sakyong Mipham Rinpoché. D'autres sont des moines depuis leur enfance, et enfin certains ont choisi la vie de yogi errant. Toutefois, malgré leurs différences, ils incarnent les qualités du dragon. Libres de toute forme d'« auto-absorption », ils sont parfaitement détendus, curieux, intelligents et pleins d'humour. Ils manifestent et propagent la confiance.

On a toujours envie de voir et d'entendre un homme ou une femme qui possèdent l'esprit du dragon : voilà pourquoi 15 000 personnes – athées, bouddhistes, chrétiennes ou musulmanes – se déplacent au Centre Bell pour passer une petite heure avec le Dalaï-Lama.

Indiscutablement, tous ces maîtres règnent sur leur vie, chacun à sa manière, et surtout ils s'occupent de nous – sans jamais songer à la retraite ! Ils ne souhaitent qu'une chose :

notre bonheur, le vrai, celui qui repose sur la pleine réalisation de la source infinie d'amour en nous, l'essence même de la vie.

Alors je te reviens très bientôt avec une première histoire qui raconte mon expérience de la forte présence complètement dépourvue d'arrogance d'un être réalisé, Chögyam Trungpa Rinpoché.

Une énorme présence

« Nous aimons
la façon d'être du Bouddha,
son humilité impériale. »

— Chögyam Trungpa

Très cher fils,

Sans doute parce que la lecture n'est pas ton activité préférée – et je dis cela sans blâme –, lors de ta courte visite à l'abbaye, tu n'as pas remarqué la merveilleuse bibliothèque de plus de 3000 livres qui a fait mes délices pendant neuf ans !

Bien sûr, elle comprend surtout des livres sur le bouddhisme, mais il y a aussi toute une section sur les autres traditions de sagesse ainsi qu'un rayon consacré à la psychologie et à la science.

Au sous-sol, on peut trouver les œuvres de bons auteurs anglais et américains. Il y a même des romans policiers, dont je suis un peu trop friande, mes préférés étant ceux qui mettent en scène le sympathique commissaire Brunetti* ! L'abbaye possède aussi une belle collection de documents audiovisuels qu'il est possible de consulter dans les moments libres.

Élégance et dignité

Par un beau samedi d'hiver, je me suis réfugiée dans la bibliothèque avec un bon café pour regarder une vieille vidéo qui datait de 1973. Il s'agissait de l'enregistrement d'une causerie de Chögyam Trungpa à Karmê-Chöling, le premier centre de méditation qu'il a fondé aux États-Unis peu de temps après son arrivée en Amérique.

Karmê-Chöling était alors une vieille maison de ferme trop petite pour contenir les nombreux jeunes hippies qui affluaient

---

* Le commissaire Brunetti est le héros de plusieurs romans policiers écrits par Dona Leon.

pour rencontrer et entendre cet homme hors du commun. Les enseignements se donnaient donc sous la tente.

J'avais choisi cette vidéo parce que Chögyam Trungpa y commentait la vie de Milarépa*, un yogi très célèbre au Tibet, entre autres à cause des nombreux chants qu'il a composés. Pour être honnête avec toi, aujourd'hui je ne me rappelle absolument rien de ses propos. Tout ce dont je me souviens, ce sont des dix premières minutes de la vidéo. Tu vas rapidement comprendre pourquoi.

Au début de l'enregistrement, un zoom à l'intérieur de la tente nous montre une quarantaine de jeunes qui attendent Chögyam Trungpa. La plupart portent les tenues bigarrées et souvent débraillées qui caractérisaient la « mode » hippie. Tous sont assis par terre, un peu n'importe comment. Certains sont carrément allongés. Ils parlent fort. Ils fument. Puis Chögyam Trungpa arrive, vêtu d'un jean et d'une chemise de cow-boy! Même dans ce costume pour le moins étonnant, il est parfaitement élégant. Personne ne se lève pour exprimer son respect, et tout le monde continue à parler comme si de rien n'était!

Sans regarder qui que ce soit, Chögyam Trungpa se dirige vers le fauteuil du maître installé pour lui. Il s'assoit et, pendant au moins 10 minutes, il ne dit absolument rien! Il demeure parfaitement tranquille. Il ne semble ni ennuyé, ni vexé, ni impatient. *Il est,* simplement. Au bout de quelques instants, il boit une gorgée de ce qui est probablement du saké ou du scotch. Puis, il allume une cigarette et fume. Chacun de ses gestes est

---

* Jetsün Milarépa (1040-1123), magicien, yogi et poète. Le film *Milarépa, la voie du bonheur* raconte sa vie.

précis et digne, gracieux même. L'esprit et le corps parfaitement synchronisés, il incarne l'élégance naturelle du dragon.

Pendant ce temps, les jeunes continuent à parler...

Au bout de quelques minutes – qui m'ont paru très longues –, les conversations cessent peu à peu. Les jeunes qui étaient couchés se redressent et adoptent une posture d'écoute. Ce n'est qu'une fois le calme établi, quand les « gentils barbares » sont redevenus des humains, que Chögyam Trungpa commence à parler devant un auditoire désormais extrêmement attentif.

Une présence authentique

Malgré le filtre du petit écran, je me rappelle avoir été profondément impressionnée par l'« énormité » de cette présence.

Toi et moi, quand on est à notre meilleur – c'est-à-dire quand on est un tant soit peu décent et attentif – on est détendu, tranquille et confiant. Il se peut que certaines personnes le remarquent et soulignent notre « belle présence ».

Mais Chögyam Trungpa offrait plus qu'une belle présence. Dans la tradition de Shambhala, on parle de présence authentique, la façon d'être-au-monde d'un être qui a complètement renoncé à toute ambition personnelle, qui est complètement libre d'ego – je dirais « mort à lui-même » – et pourtant entièrement ici.

Une personne qui possède une telle présence dégage une autorité naturelle, libre d'agression. Sous la tente, les jeunes ont très bien compris ce que Chögyam Trungpa attendait d'eux, et cela sans qu'il dise un seul mot. Aujourd'hui, je me demande même s'il attendait quoi que ce soit. Chose certaine, absolument sans rien faire, sans blâme et sans jugement, il a créé l'environnement propice à l'enseignement.

Toujours en silence, il leur a aussi appris plein d'autres choses, dont les suivantes :

✳ On peut s'habiller simplement et confortablement, mais porter ses vêtements avec dignité. C'est d'ailleurs l'une des pratiques monastiques à l'abbaye. Nos modestes robes doivent être propres, le pourtour des jupes, à égale distance du sol, et le châle qui enveloppe l'épaule – le *dzen* –, bien mis en toutes circonstances, sauf pour un travail physique ou une excursion dans le bois.

✳ Chaque geste accompli avec attention et précision – même celui de fumer ou de boire – devient élégant. Tu sais, quand on est attentif à tous les détails de notre vie quotidienne – préparer le café, prendre une douche, partager un bon repas, nettoyer la maison, repasser le linge, lire le journal, etc. –, alors notre vie ordinaire peut devenir une belle cérémonie qui nourrit en nous intelligence, clarté et tendresse.

✳ Les enseignements de sagesse sont précieux, et on ne peut les recevoir avec une attitude désinvolte. Le respect exprime l'ouverture et la gratitude, deux qualités qui préparent l'esprit à entendre des paroles qui ont le pouvoir de changer nos vies. Tu sais, à cet égard, on reçoit à la mesure de ce qu'on offre.

✳ Pour être entendu, il n'est pas nécessaire de s'agiter ou de parler fort. Et le blâme est en général inutile.

Chögyam Trungpa est décédé en 1987, mais, des années plus tard, toute seule devant le téléviseur, profondément touchée par sa présence «impériale» et ce qu'elle transmettait silencieusement, j'étais très émue… Pour moi, il était bien vivant!

De la confusion à la clarté

La présence authentique est le résultat de tout ce dont je t'ai parlé dans mes lettres précédentes. Si l'esprit du dragon se révèle brièvement et spontanément dans nos petits moments d'éveil, le dévoilement de cette sagesse peut devenir irréversible ou définitif. Il est alors le résultat de ce long et patient entraînement – parfois difficile, j'en conviens – qui permet de se délester de tout ce qui nous empêche de vivre dans l'ouverture inconditionnelle du cœur et de l'esprit.

~ ~ ~
Pour être entendu, il n'est pas nécessaire de s'agiter ou de parler fort.
~ ~ ~

Tu te rappelles que, dans la tradition de Shambhala, ce voyage de la confusion vers la clarté – notre plan pour la vie – s'effectue en pratiquant les quatre dignités, notre plan pour chaque jour. Laisse-moi te les rappeler, car j'ai peur que tu aies déjà oublié mes lettres précédentes. N'en fais pas une affaire personnelle. Moi-même, j'ai dû relire plusieurs fois de nombreux livres. On oublie constamment. Voilà pourquoi la répétition fait partie du voyage!

L'aventure commence avec la dignité du tigre*. Elle nous invite à développer attention et vigilance afin de découvrir le

---

* Voir la *Lettre 6* et la *Lettre 12*.

profond contentement de vivre au présent, sans regret et sans appréhension. Bien enracinés dans l'instant, on devient de plus en plus conscients des répercussions de nos actions et de l'importance d'agir avec discernement. On s'exerce donc à vivre avec décence, en amitié avec soi-même et dans la bienveillance envers les autres. La vie devient ainsi beaucoup plus simple. Elle est aussi plus passionnante, car nos expériences sensorielles sont de plus en plus riches et vives.

Avec la dignité du lion blanc* des neiges, on se rend compte que nous, les humains, sommes tous sur le même bateau : nous avons tous un immense potentiel de sagesse et de bienveillance, mais aussi un lourd bagage de confusion, d'espoirs et de peurs.

On choisit de s'ouvrir aux autres sans réserve, avec générosité, patience et persévérance. Pour cela, on s'exerce à maîtriser l'arme de la tendresse, qui permet de vaincre notre propre agression et d'apprivoiser les émotions difficiles, grâce à la pratique du repos en compassion** que je t'ai enseignée.

Le souci grandissant des autres mine peu à peu notre orgueil et l'habitude de nous prendre pour le nombril du monde. Tout comme la pratique de lâcher prise des ronrons, les moments de pure compassion nous donnent accès à la joie de vivre avec un cœur tendre.

Avec la dignité du garuda***, on apprend à demeurer serein face à l'impermanence des choses et à l'incertitude de nos vies. On saisit de plus en plus l'absence de solidité de tout ce qui surgit

---

* Voir la *Lettre 14.*
** Voir la *Lettre 19.*
*** Voir la *Lettre 21.*

dans notre esprit : nos sensations physiques, nos pensées, nos émotions, nos rêves, nos projets, etc. Tout cela est en constante mouvance. Devenus des experts du lâcher-prise des ronrons, on découvre un espace jusqu'ici inconnu – l'esprit nu, libre de concepts, ce grand mystère – et on apprend à y reposer, sans s'accrocher à rien.

Les trois dignités précédentes préparent à la réalisation de celle du dragon. Désormais complètement présent à chaque instant, en intime communion avec les êtres et les choses, l'esprit du dragon est sensible à la magie du monde, au miracle perpétuel des perceptions fraîches et directes – rappelle-toi *le vrai goût* du chocolat ! Cet esprit danse avec tout ce qui surgit dans son expérience et il œuvre habilement et joyeusement au bonheur des êtres.

Tu sais, Xavier, oser cette aventure, oser être cette sagesse du dragon – notre bonté fondamentale pleinement manifeste – est pour moi le sens véritable de notre vie humaine.

Peu importe où l'on est et ce que l'on fait, il est toujours possible de laisser émerger cette sagesse. Bien sûr, on s'égare. On est distrait et on se détourne parfois des gens qui ont besoin de nous, notre esprit n'est pas toujours ouvert et spacieux, et il nous arrive trop souvent de percevoir le monde à travers l'épais brouillard de notre confusion, laquelle est toujours associée à l'oubli de notre bonté fondamentale.

Mais, heureusement, le monde lui-même – que ce soit la forme délicate d'une fleur, la première neige, les contours inusités d'un nuage, une feuille d'automne sur le trottoir… ou encore une odeur nauséabonde qui assaille soudainement nos narines, le bruit d'une tondeuse à gazon qui nous réveille à 7 h du matin ou la vue d'un mendiant endormi sous un carton près d'une station de métro – nous rappelle constamment à l'obligation de présence ouverte et sans réserve qui met fin à la confusion.

~ ~ ~

D'erreur en erreur, c'est ainsi qu'on finit par atteindre l'éveil !

~ ~ ~

Tu vois, mon cher fils, peu importe la forme qu'elle prend, la confusion de notre esprit n'est jamais définitive. Un soir, Tsültrim Gyatso, un maître que j'apprécie beaucoup, s'est trompé de porte pour sortir de la salle où il avait enseigné. Bon enfant, il est revenu sur ses pas en disant : « D'erreur en erreur, c'est ainsi qu'on finit par atteindre l'éveil ! »

Je crois, Xavier, qu'il n'y a peut-être qu'un seul véritable échec dans la vie : c'est de renoncer *délibérément* à ouvrir son cœur et son esprit pour voir les êtres et les choses tels qu'ils sont !

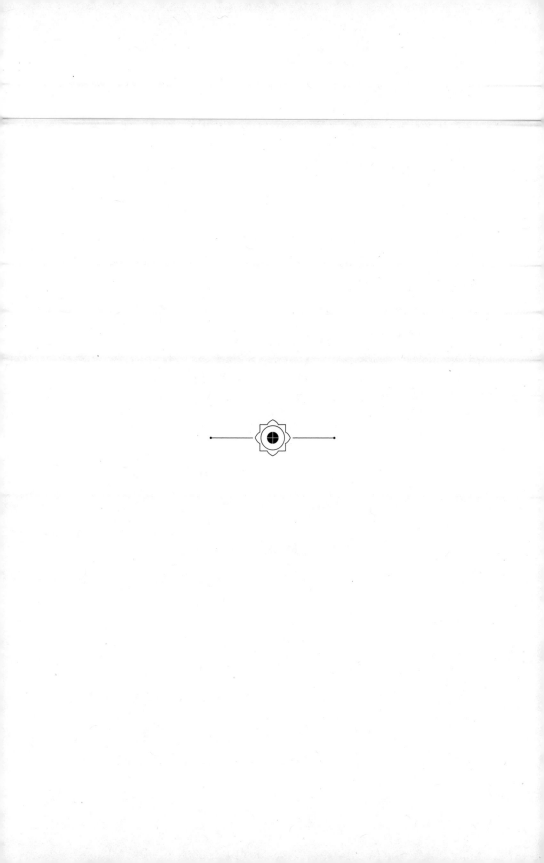

Le bon geste
au bon moment

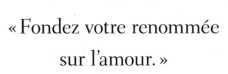

« Fondez votre renommée

sur l'amour. »

— Sakyong Mipham Rinpoché

Fils,

Je savais que tu aimerais l'histoire de Chögyam Trungpa et des « barbares ». Quand je reviendrai à Montréal – et c'est pour bientôt –, je t'inviterai avec Stéphane à un brunch chez moi. On pourra visionner *Crazy Wisdom**, une vidéo sur la vie de Chögyam Trungpa. Cela vous permettra de mieux connaître cet homme dont les enseignements ont changé le cours de ma vie.

Les règles ne sont pas toujours de mise

L'histoire que je t'ai racontée au sujet de Chögyam Trungpa pourrait toutefois te laisser croire que les maîtres de sagesse parlent peu ou qu'ils sont toujours gentils et politiquement corrects. Or, leur façon d'enseigner ou de couper court aux diverses manifestations de notre ignorance ou de nos névroses peut parfois être brutale, provocante ou intrigante.

Ainsi, lors d'une discussion avec Ani Pema sur un désaccord au sujet du respect de l'horaire, j'ai senti monter en moi la colère. Mon ton est devenu irrespectueux, et j'étais sur le point de perdre les pédales. Ani Pema m'a heureusement empêchée de dire des bêtises que j'aurais regrettées par la suite en criant : « Arrête ! » Seulement cela : « Arrête ! » un cri bref et percutant. Il n'y avait aucune crainte ni agression dans son cri, mais c'étaient les mots et le ton qu'il fallait pour interrompre ma propre agression. Je voulais répliquer, mais j'en étais parfaitement incapable. Les mots restaient pris dans ma gorge… Peu à peu, je me suis apaisée.

---

* On peut se procurer la vidéo à Shambhala Media. Il n'y a pas de traduction française.

Une autre fois, lors d'une visite du Sakyong Mipham Rinpoché à l'abbaye, j'ai été invitée à me joindre aux moines et nonnes séniors pour le dîner. C'était une première, et j'étais ravie ! La visite elle-même était déjà un événement fort heureux, mais cette invitation à dîner, c'était vraiment plus que je n'avais jamais osé espérer ! Le dîner avait lieu dans la bibliothèque, transformée pour l'occasion en salle de réception, avec une grande table pouvant accueillir une dizaine de personnes.

Marié depuis peu, Mipham Rinpoché était accompagné de son épouse Khandro Tseyang. De fait, il était venu au monastère pour nous la présenter. Tous les deux étaient rayonnants, parfaitement détendus, curieux de nous et de tout. Malheureusement, ce n'était pas mon cas ! J'étais assez nerveuse à l'idée de les rencontrer, ce qui est inévitable quand on est un peu trop consciente de soi !

Pendant le repas, Ani Palmo – dont je t'ai déjà parlé – s'est informée d'un de ses amis auprès de Mipham Rinpoché, en évoquant le fort accent polonais du cher homme avec – il m'a semblé – un léger brin de malice. Soucieuse de bien paraître devant mon maître spirituel, j'ai publiquement désapprouvé l'attitude d'Ani Palmo en disant : «Voyons, Ani-la*...». Mon ton – odieusement maternaliste – insinuait clairement qu'il n'était pas bien de se moquer des gens, surtout pour une nonne sénior !

Blessée, Ani Palmo s'est tournée vers moi et a répliqué sèchement : «C'est une blague !» Soudainement, la tension est devenue palpable dans la pièce. Il y a eu un lourd moment de silence, et, afin de cacher mon malaise, j'ai soudainement

---

* Dans la langue tibétaine, ajouter «la» à la suite d'un nom est une marque de respect.

démontré un grand intérêt pour un morceau de carotte dans mon assiette.

Mipham Rinpoché, lui, n'a pas bronché. Rien, pas même un léger froncement de sourcils. Souriant et toujours parfaitement détendu, il s'est tourné vers Ani Palmo, assise à côté de lui, et il a poursuivi la conversation… avec une imitation hilarante de l'accent polonais ! Ani Palmo était aux anges, et moi, complètement déconcertée !

Le soir, faisant la revue de ma journée, j'ai compris que Mipham Rinpoché m'avait donné une belle leçon : prêcher la vertu n'est pas toujours la bonne chose à faire, surtout si cela risque d'offenser une sœur aînée et de lui faire perdre la face. Durant le repas, il avait choisi spontanément de prendre soin de cette nonne âgée et malade. S'il fallait pour cela utiliser la moquerie, qu'à cela ne tienne !

Tu vois, Xavier, le seul souci de l'esprit du dragon est le bonheur des êtres. Si pour cela il doit se taire, crier, se moquer… peu lui importe ! L'action est toujours juste parce que l'intention est parfaitement altruiste. Elle est aussi *spontanée* et adaptée à la situation parce que les ronrons – qui d'habitude occupent l'esprit – ne sont plus sur notre chemin. Il n'y a donc aucune hésitation.

Danser avec les éléments

Dans les enseignements Shambhala, on dit que les maîtres de sagesse dansent avec les éléments selon les situations. Au lieu de résister à l'inévitable, ils ont la fluidité de l'eau. Lorsqu'il faut consolider ce qui est instable, précaire ou fragile, ils sont solides et résilients comme la Terre. S'il s'agit de nourrir le développement et la croissance, ils se manifestent avec le feu de l'enthousiasme. S'il faut mettre des choses en mouvement, ils ont la force et l'énergie du vent associées à la pratique de la décence.

Nous sommes capables nous aussi de poser de bons gestes aux bons moments, en particulier dans les situations d'urgence. C'est d'ailleurs là une belle illustration de notre sagesse innée.

Un jour, alors que j'étais âgée de sept ou huit ans, je me préparais pour aller à la messe dominicale. Je n'avais pas encore mis ma belle robe du dimanche et je paradais dans la cuisine dans mon jupon-crinoline. Dans les années 1950, ce vêtement était « le chic du chic », et j'étais très fière du mien.

À un moment donné, je me suis retrouvée près de la cuisinière au gaz, dont l'un des brûleurs était allumé. Je ne me rappelle plus comment j'ai fait mon compte, mais le linge à vaisselle que je tenais dans les mains a pris feu. Les flammes se sont rapidement propagées... à ma crinoline. J'étais pétrifiée, mais ma mère, alors affairée à desservir la table du déjeuner, a tiré la nappe vers elle pour m'y envelopper et éteindre le feu. Sans réfléchir.

Tout cela s'est passé très vite. Bien sûr, toutes les assiettes, les tasses, la confiture et le fromage ont volé dans les airs... mais j'étais saine et sauve, sans même une petite brûlure. En cet instant, ma mère a certainement vécu un moment-dragon. Elle était une pure présence lucide sans autre intention que celle de me protéger.

Libre d'hésitation, elle a accompli l'action juste, sans penser une seule seconde aux dégâts qu'elle causerait en tirant la nappe. Le problème pour ma pauvre mère, Gabrielle – comme pour toi et moi d'ailleurs –, c'est que cette merveilleuse capacité de présence, claire et résolue, ne dure pas, car nous nous laissons constamment emporter par nos regrets et nos soucis, bref par toutes nos histoires. Alors, même quand un geste s'impose, on doute de la voie à suivre, on rumine indéfiniment le pour et le contre, on élabore de savantes stratégies, on tergiverse, on procrastine. Tout cela mine notre énergie. N'est-ce pas?

Je vais quitter l'abbaye dans deux semaines. J'aimerais alors avoir terminé la série de lettres que je voulais t'écrire, car je n'aurai pas beaucoup de temps pour la littérature à mon retour. Je ne tarderai donc pas à te revenir. Prends bien soin de toi, mon fils.

On n'oublie jamais
la tendresse

«Ne te détourne jamais
de quelqu'un qui a besoin
de ton amour. »

– Saint Benoît de Nursie

Cher Xavier,

Il fait froid depuis une semaine au Cap-Breton, et le temps est gris ou pluvieux. C'est l'automne déjà. Comme je me prépare tranquillement à rentrer, je commence à entendre des échos de la ville et, nécessité oblige, j'ai dû sortir mon agenda du fond de ma valise !

Il me reste donc peu de temps pour terminer les lectures que j'avais projeté de faire et revoir quelques amis avant de partir – Sherab, bien sûr, et ma chère Dawa qui vient tout juste de prendre les vœux de novice.

Aujourd'hui, je vais te raconter une histoire inspirante – du moins, je le pense ! – qui parle de gentillesse, une autre qualité que j'ai pu observer chez les maîtres de sagesse. Très directement, devrais-je dire, car j'en ai été parfois l'objet.

Pendant mes premières années au monastère, nous recevions régulièrement la visite de tels maîtres, et c'était toujours une fête. Habituellement, quand ils enseignent dans de grandes villes, les maîtres offrent rarement des entrevues individuelles, et il est difficile de les approcher. Par contre, à l'abbaye, nous avions le privilège de les côtoyer, que ce soit en leur servant le repas ou le thé. Il était aussi assez facile d'obtenir une rencontre avec eux. Et puis, lorsqu'ils enseignaient, comme nous étions peu nombreux, il y avait beaucoup de place pour les questions.

Une histoire de mouchoirs

Une année, nous avons reçu la visite de Mingyur Rinpoché. C'était une découverte pour moi, car je n'avais lu aucun de ses livres et je ne l'avais jamais rencontré auparavant. Mingyur Rinpoché a fait une première retraite de 3 ans alors qu'il n'avait que 13 ans. Il en a fait une deuxième à 16 ans, cette fois comme maître de retraite ! Inutile de te dire que j'ai grandement apprécié ses enseignements sur la méditation.

Un soir, il a invité dans sa grande chambre un petit groupe de pratiquants de longue date, dont je faisais partie, pour répondre à leurs questions. J'avais très hâte, car, tu le devines bien, j'avais beaucoup de questions ! J'avais travaillé fort pour préparer la visite, et cette soirée était pour moi comme une récompense. Je suis donc arrivée tôt pour m'asseoir à l'avant, tout près de son fauteuil, afin de ne rien manquer.

Mingyur Rinpoché allait commencer sa causerie lorsqu'un moine sénior est arrivé en demandant avec insistance qu'on fasse de la place à l'avant pour l'une de ses élèves. Comme personne ne bougeait, je me suis levée pour céder la mienne. Il fallait bien que quelqu'un le fasse !

Généreux, me diras-tu ? Pas du tout. Je me suis dirigée vers l'arrière de la salle de très mauvaise grâce, et tout le monde pouvait comprendre, à lire mon visage, que j'étais extrêmement contrariée.

Une fois assise à ma nouvelle place, je me préparais à écouter Rinpoché avec une mine d'enterrement lorsqu'il m'a fait signe de revenir en avant ! Il a demandé qu'on dégage un espace où je pourrais m'asseoir. Je ne sais trop pourquoi, mais son geste m'a énormément touchée. Il aurait pu ne rien faire. De fait, ma conduite était plutôt lamentable, et, à mes propres yeux, je ne méritais pas cette délicate attention. Mais Rinpoché ne me jugeait pas. Il avait vu ma peine, justifiée ou non, et y remédier était son seul souci.

Lorsque tout le monde a enfin été assis, nous avons commencé à réciter un très beau chant de supplication qui précède habituellement l'enseignement d'un maître. Déjà ébranlée par ce qui venait de se passer, j'ai senti que les paroles du chant m'allaient droit au cœur et je me suis mise à pleurer, à cause de la fatigue, mais aussi parce que j'étais à la fois très émue par la gentillesse de Rinpoché... et sans doute un peu découragée de moi-même !

Le chant terminé, je pleurais toujours ! Rinpoché m'a dit, avec la même gentillesse et comme si c'était la chose la plus importante au monde : « Prenez un mouchoir ! » Et il a demandé qu'on m'en donne un. Je me suis mouchée, mais, vu l'abondance de mes larmes, un seul mouchoir ne suffisait visiblement pas à la tâche ! Alors Rinpoché, qui avait commencé sa causerie, s'est arrêté et m'a dit, doucement et très sérieusement : « Ça irait mieux si vous en preniez deux ! » Tout le monde a ri et moi aussi !

En prenant ainsi soin de moi, avec une attention presque paternelle, Rinpoché m'a permis d'oublier ma petite misère et de m'ouvrir complètement à ses enseignements. J'ai finalement passé une excellente soirée alors que, s'il n'avait rien fait, j'aurais sans doute consacré de longs moments à ruminer mon mécontentement.

Une transmission

Encore aujourd'hui, en te racontant cette histoire, je ressens la même chaleur qui m'habitait ce soir-là en la présence de

Mingyur Rinpoché. Et, chaque fois que j'y pense, mon cœur se dilate, et je me dis que j'aimerais, moi aussi, avoir une telle gentillesse : radicale, précise et efficace. Sans aucune attente.

Ani Pema disait qu'offrir un geste de bonté est parfois une transmission. On permet aux gens de toucher à la douceur de l'amour qui les habite. Y ayant goûté, ils peuvent désormais être bons à leur tour. De fait, ils ont envie d'être bons.

Fais ce simple exercice. En premier lieu, rappelle-toi une situation où quelqu'un a fait un geste tendre ou bon envers toi. Ce peut être une petite chose. L'important, c'est l'intention de bonté qui le guidait. Sois précis dans le rappel de cet événement et observe ce que tu ressens à évoquer ce souvenir. Il est fort possible que tu éprouves une sorte de douceur ou de la joie. Vois-tu, on n'oublie jamais la tendresse.

~ ~ ~

J'aimerais, moi aussi, avoir une telle gentillesse : radicale, précise et efficace.

~ ~ ~

Sachant cela, essaie de penser à un geste de bonté que tu pourrais accomplir à ton tour, aujourd'hui ou bientôt, envers quelqu'un de ton entourage ou même envers un pur inconnu. Il y a de fortes chances que tu éprouves la même douceur et la même joie à la seule pensée d'offrir ce geste de bonté. Voilà de courtes contemplations que tu peux faire tous les matins avant d'aller travailler. L'autobus et le métro sont tout à fait indiqués pour ce genre de réflexion.

Tu sais, Xavier, je rêve parfois que nous sommes de plus en plus nombreux à pratiquer la gentillesse radicale de Mingyur Rinpoché. Imagine un peu de quoi le monde aurait l'air si des milliers de gestes de bonté se réverbéraient à l'infini ! C'est cela aussi l'arme de la bienveillance.

Vivre en révérence

« La sagesse du dragon nous dit
de ralentir, de lâcher prise et d'être
présent à chaque moment, car c'est
là que résident pouvoir et magie. »

– Sakyong Mipham Rinpoché

Fils de mon cœur,

Le compte à rebours est commencé. Hier, j'ai fait un lavage et, aujourd'hui, j'ai vidé le réfrigérateur avant de nettoyer la cabine de fond en comble. Ce soir, je vais préparer mes bagages, et demain ce sera le départ – qui me rend un peu triste, je l'avoue.

Je t'écris donc aujourd'hui une dernière lettre sur la dignité du dragon avant de mettre fin à nos échanges, du moins sous cette forme.

« Sois douce. »

Je ne t'ai jamais raconté cela, mais peu de temps après mon retour à Montréal, il y a maintenant cinq ans, j'ai eu la possibilité de rencontrer le Sakyong Mipham Rinpoché. Lors de cette brève entrevue avec lui, je lui ai demandé ce qu'il souhaitait que je fasse maintenant que j'avais quitté le monastère pour vivre « dans le monde ».

Je m'attendais à ce qu'il formule des recommandations sur la pratique de mes vœux ou encore quelques lignes directrices relatives à mes activités d'enseignante. À mon grand étonnement, après un court silence, il m'a simplement dit ceci : « Sois douce. Utilise ton ambition pour faire avancer les choses de façon positive. »

Plus je contemple ses paroles, plus elles me semblent résumer la façon dont toi, moi ainsi

~ ~ ~

Sois douce.
Utilise ton
ambition
pour faire
avancer
les choses
de façon
positive.

~ ~ ~

que monsieur et madame Tout-le-Monde pouvons pratiquer la dignité du dragon.

«Sois douce» est ma traduction de «*be gentle*». J'aurais pu écrire «sois gentille», mais j'ai peur que cela évoque trop la «bonne fille». Par ailleurs, «sois douce» ne me semble pas être une mauvaise traduction, car la gentillesse est souvent associée à la douceur. La douceur ici est synonyme de non-agression. Voilà, je crois, ce que Mipham Rinpoché souhaitait me dire : «Pratique l'absence totale d'agression.»

L'absence d'agression, c'est d'abord envers nous-mêmes qu'elle doit s'exercer. Nous sommes souvent durs envers nous-mêmes.

> ~ ~ ~
>
> *L'absence d'agression, c'est d'abord envers nous-mêmes qu'elle doit s'exercer.*
>
> ~ ~ ~

On se traite de tous les noms quand on commet une erreur. On se juge sévèrement quand on manque de décence. On cache ou réprime certaines de nos émotions parce qu'on en a honte. On s'en veut d'avoir de «mauvaises» pensées. On s'astreint à toutes sortes de tortures, parfois coûteuses, dans l'espoir d'avoir un corps de rêve, éternellement en santé et toujours jeune.

La dureté envers nous-mêmes explique en grande partie nos jugements et notre intransigeance envers les autres.

Choisir la douceur, cela veut d'abord dire se rappeler constamment notre immense potentiel d'ouverture et de tendresse. Nous sommes déjà parfaits. Là, maintenant. Notre esprit est naturellement vaste, profond, lumineux et compatissant. Nous ne sommes pas nos pensées ou nos émotions. Inutile d'en avoir peur ou honte. On peut simplement les accueillir avec curiosité et bienveillance. L'important, c'est de lâcher prise, de ne rien figer et de ne s'attacher à rien de ce qui surgit dans notre esprit.

Vois-tu, Xavier, le secret de la non-agression consiste à ralentir, lâcher prise et être présent à chaque moment, avec un cœur et un esprit curieux, ouvert. Si tu as déjà passé une journée sans courir, en faisant une chose après l'autre, avec beaucoup d'attention, sans penser à tout ce qu'il te restait à faire, je suis certaine que tu as goûté un tant soit peu à cette douceur dont je parle.

~ ~ ~

La dureté envers nous-mêmes explique en grande partie nos jugements et notre intransigeance envers les autres.

~ ~ ~

Si l'éveil existe, mon cher fils, c'est toujours ici et maintenant qu'il se pointe le bout du nez. Sans renoncer aux pensées d'hier et de demain, il est impossible de saisir le vrai goût du chocolat ou de voir ce qui se cache sous le mot « pamplemousse ».

Quand tu étais tout petit, après mon travail, j'allais te chercher à la garderie et je revenais à la maison... en autobus. Nous arrivions chez nous assez tard. J'étais fatiguée et j'avais faim, deux ingrédients qui ont le pouvoir de faire naître en moi impatience et mauvaise humeur.

Un soir, en arrivant à la maison – tu devais avoir alors un peu moins de deux ans –, je t'ai installé dans ta chaise haute près de la table avec un livre d'images et j'ai commencé à préparer le souper, l'esprit envahi par toutes sortes de pensées. Comme trop souvent, j'avais amené le bureau à la maison, du moins dans ma tête. Tu connais ça, n'est-ce pas?

Tout en ronronnant, j'ai empli une casserole d'eau pour faire cuire les pommes de terre. En fermant le robinet, je me suis rappelé qu'il coulait depuis plusieurs semaines et qu'il me faudrait demander à quelqu'un de le réparer, car je ne savais pas comment faire.

Mon esprit était désormais accaparé par ce nouveau souci, et j'étais de plus irritée par le son des gouttes d'eau qui tombaient une à une dans l'évier. C'est alors que tu as dit, émerveillé: « Maman! L'eau chante! » Mon esprit s'est arrêté tout net, j'ai éclaté de rire et je t'ai donné un gros bisou! Pendant quelques minutes, j'ai renoué avec mon cœur tout chaud et tendre.

Vois-tu, Xavier, pratiquer la douceur en lâchant prise des ronrons pour investir l'instant sans réserve, c'est un peu comme retrouver la naïveté de l'enfance et s'offrir la possibilité d'entendre l'eau chanter quand le robinet coule. On a toujours le choix entre nos concepts et la réalité.

Vivre avec un esprit attentif, c'est vivre en révérence, c'est-à-dire avec beaucoup de respect et un immense intérêt envers tout ce qui est. Si tu vis ainsi, toutes les petites choses de la vie quotidienne ne seront plus des banalités ennuyeuses ou des corvées. L'esprit enfin apaisé, tu découvriras que tes sens t'ouvrent à la magie du monde, nulle part ailleurs que dans l'ordinaire.

De plus, quand on vit ainsi, on dirait que l'univers participe à la réalisation de nos buts. On trouve le livre inspirant dont on avait besoin. On reçoit l'aide qu'on attendait, parfois même d'un inconnu.

Seuls les morts n'ont pas d'ambition

Aussi, quand on vit en révérence, on prend soin naturellement de nous-mêmes, des autres et de notre monde. On utilise notre ambition et nos talents pour faire avancer les choses.

Du plus loin dont je me souvienne, on m'a toujours qualifiée d'ambitieuse. À l'école, en troisième année, j'ai reçu un globe terrestre comme prix de fin d'année. Mon professeur disait que mon ambition était si grande qu'elle me permettrait de conquérir le monde !

Plus tard, j'ai gagné ma vie grâce à l'ambition. J'étais ce qu'on appelle une « développeuse ». J'aimais créer de nouveaux projets. J'avais aussi plein d'idées pour résoudre les problèmes organisationnels et assurer l'expansion de l'organisme qui m'employait. Quand j'avais une vision claire de l'endroit où il fallait aller, je ne reculais devant rien. J'aimais diriger une équipe et des projets parce que c'était un moyen pour moi de concrétiser cette vision.

Bien sûr, à l'abbaye, j'avais les mêmes dispositions. Je t'en ai d'ailleurs déjà parlé dans l'une de mes lettres[*]. J'étais souvent frustrée parce que j'avais plein de bonnes idées – du moins, à mon avis ! – sans qu'il me soit toujours possible de les développer et de les mener à terme.

Avec le temps, j'en suis venue à considérer l'ambition comme une tare et comme la source de plusieurs de mes malheurs. Et

---

[*] Voir la *Lettre 17.*

voilà que Mipham Rinpoché me disait non pas de rejeter l'ambition, mais de m'en servir pour faire avancer les choses.

En réfléchissant à ses propos, j'ai compris que seuls les morts n'ont pas d'ambition. Nous voulons le mieux, pour nous-mêmes et pour le monde dans lequel nous vivons. Nous cherchons constamment à améliorer les choses. C'est ce désir, joint à notre incommensurable curiosité et à notre capacité de coopérer pour réaliser une vision ou des projets, qui a permis d'innombrables développements dans tous les domaines de la vie humaine.

~ ~ ~

Nous cherchons constamment à améliorer les choses.

~ ~ ~

Le problème ne réside pas dans l'ambition elle-même, mais dans ce qui la motive. Notre culture est fondée sur l'ambition personnelle. On travaille fort pour se distinguer, être le meilleur, mettre sa marque, gagner plus à tout prix et obtenir pouvoir et prestige. On n'est jamais satisfait de ce qu'on a et on reluque constamment ce que le voisin a dans sa cour. Animé d'un tel esprit, on joue du coude, on s'accroche à nos idées, on écoute peu celles des autres, on manipule les gens et on les « tasse »…

Tu vas certainement me dire : « Mais moi, je ne suis pas comme ça ! » J'avoue que le portrait est un peu gros. On est rarement tout cela. Mais si on est honnête, on est un peu cela, chacun à sa manière. Même dans un monastère, il y a de mesquines querelles de préséance et de territoire, ainsi que de petites luttes de pouvoir. Nos règles d'ailleurs n'ont d'autre sens que de nous aider à voir clair dans tout cela afin que nous puissions modifier nos comportements.

Assis, au beau milieu de la salle des urgences

En m'invitant à utiliser mon ambition pour faire avancer les choses, Mipham Rinpoché m'invitait à sortir des paramètres étroits de l'égoïsme et à me demander, chaque jour : «Comment puis-je aider ? Comment puis-je contribuer au bien des autres ? Comment puis-je me transformer grâce à un engagement quotidien et indéfectible envers le bien, le bon et le beau*, dans ma vie et dans mon environnement ? Comment puis-je – à la mesure de mes moyens – participer à la création d'une société éveillée ? »

Au fond, c'est tout simple. Le monde est maintenant une vaste salle des urgences**. Nul besoin de te faire un dessin, je pense. La tentation est grande de faire l'autruche et de se réfugier dans l'impuissance. Mais toi et moi, on peut faire un autre choix. On peut se laisser toucher et déranger par la souffrance des autres. On peut agir.

J'ai parfois l'impression qu'on renonce un peu trop vite à retrousser nos manches pour venir en aide. Or, quand notre aspiration est claire, on s'ouvre à un univers de possibilités. Par exemple, je connais des gens qui se sont mis ensemble pour soutenir le développement d'un village en Afrique. Après quelques années seulement, les enfants vont à l'école, des

---

* La grand-mère de Christine Michaud, l'animatrice de l'émission *Qu'est-ce qu'on attend pour être heureux ?* avait pour devise : Aimer le bon, apprécier le beau, faire le bien.

** L'expression et le commentaire sont une paraphrase des propos de Chögyam Trungpa à ses étudiants.

terres sont cultivées expressément pour les nourrir, la régula-tion des naissances progresse, et les femmes bénéficient de services gynécologiques. Bientôt, elles pourront avoir accès au microcrédit pour mieux assurer leur subsistance.

Au fond, c'est tout simple. Alors qu'on demeure au beau milieu de la salle des urgences, notre esprit reste fort et compatissant grâce à notre belle pratique de la méditation. Lorsqu'un blessé arrive, on se lève et on va panser ses plaies. Puis on se rassoit sans «se péter les bretelles» et sans attendre de remer-ciements. On demeure présents, attentifs, curieux et bienveillants… prêts à accueillir un nouveau patient.

~ ~ ~

L'amour soigne, console, pardonne, protège, enseigne, transforme et construit.

~ ~ ~

La salle des urgences, c'est ton *chum* qui file un mauvais coton et qui a besoin de réconfort. C'est ta mère qui a une vilaine grippe et qui serait ravie d'avoir une bonne soupe chaude. C'est un client insatisfait que tu réussiras à calmer par ton écoute et ta compréhension, et qui n'engueulera pas ses enfants en rentrant parce qu'il a eu une mauvaise journée. C'est un collègue qui doute de lui-même et que tu rassureras. C'est le sans-abri qui prendra ta petite monnaie sans même un merci.

Il y a tellement de possibilités de faire avancer les choses… du bon côté. Et cela inclut, bien sûr, les gestes que tu peux et dois faire, seul ou avec d'autres, pour mettre fin aux injustices, aux iniquités sociales ainsi qu'à toute forme d'oppression et de cruauté. Au bout du compte, Xavier, si je devais résumer toutes mes lettres en quelques mots, je te dirais donc : « Pour vivre heureux, dans l'ouverture et la bienveillance, pratique la douceur et travaille à faire avancer les choses. » Autrement dit, renonce à l'agression envers toi-même et envers les autres. Laisse émerger la source inépuisable d'amour qui t'habite, que tu es. Le reste viendra naturellement. L'amour soigne, console, pardonne, protège, enseigne, transforme et construit. Surtout, il dissout les obstacles qui nous empêchent de voir les choses telles qu'elles sont.

J'espère, mon cher fils, que mes lettres t'auront donné le goût d'explorer ce que ce message veut dire pour toi. J'espère aussi qu'elles inviteront à d'autres conversations. Entre toi et moi, bien sûr, mais aussi entre toi et tous ceux dans ton entourage qui ont à cœur de pratiquer l'art d'être humain.

Pour ma part, j'ai le sentiment d'avoir enfin tenu la promesse que je me suis faite en prononçant mes vœux monastiques, celle de partager un jour avec toi ce que j'aurais compris de cet essentiel que l'on doit placer au cœur de nos vies si on désire être vraiment heureux.

Allez, je t'embrasse bien fort. Je t'aime, Xavier.

MERCI MILLE FOIS

Je redoute toujours ce moment où le temps est venu de dire merci, car inévitablement je ne pourrai nommer tous les gens pour qui j'éprouve de la gratitude.

Si je le faisais, il me faudrait d'abord évoquer tous ceux et toutes celles qui ont contribué à ouvrir mon esprit et mon cœur depuis que je suis toute petite. Et ici, je pense bien sûr aux maîtres qui m'ont enseigné l'art d'être humain : Chögyam Trungpa Rinpoché, le Sakyong Mipham Rinpoché et Ani Pema Chödron.

Il me faudrait aussi mentionner tous ceux et toutes celles qui m'ont encouragée à suivre mon cœur et à tout quitter pour devenir nonne. Il me faudrait également m'adresser à la centaine de personnes qui m'ont soutenue pendant mes neuf années au monastère et depuis mon retour. Bien sûr, c'est impossible. Alors je veux dire ceci à tous ceux et toutes celles que je ne peux nommer : « je n'ai rien oublié et je n'oublierai jamais votre confiance, votre appui et votre générosité ».

Si je limite l'expression de ma gratitude à ceux et celles qui ont été directement impliqués dans la mise au monde de *L'arme de la bienveillance,* mes premiers remerciements iront certainement à mon fils, Xavier, qui a eu non seulement la générosité de me laisser partir au monastère, mais aussi celle d'accepter que j'expose dans ce livre certains aspects très intimes de sa vie.

Je voudrais ensuite remercier Jean Paré, directeur général de Guy Saint-Jean Éditeur, qui a cru en mon projet et dont la confiance m'a encouragée à le concrétiser. Je veux aussi dire merci à Élise Bergeron, l'éditrice qui m'a accompagnée tout au long du processus d'écriture avec habileté, patience et gentillesse. Enfin, je voudrais exprimer toute ma reconnaissance à la belle équipe de Guy Saint-Jean Éditeur.

Mes remerciements s'adressent également à mes lecteurs et lectrices, qui ont accepté de lire et de commenter le manuscrit au fur et à mesure de sa rédaction. Ainsi, je pense...

au Dr Serge Marquis, mon ami et confident, qui a eu la gentillesse de rédiger la préface de ce livre ;

à Esther Rochon du Centre Shambhala de Montréal, qui a été mon instructrice de méditation en 1989 avant de devenir une amie et une bienfaitrice ;

à ma très fidèle amie Dominique Gendron ;

à Andrée Shetagne, une amie de jeunesse que j'ai eu la grande joie de retrouver il y a trois ans et dont les questions et critiques se sont avérées fort précieuses ;

à Dechen, une jeune nonne de l'abbaye de Gampo, qui, à mes yeux, représente l'avenir de la voie monastique dans Shambhala ;

à Céline Charron, une des leaders inspirantes de la Maison des leaders dirigée par Rémi Tremblay, et aussi une amie généreuse et bienveillante.

Merci. Mille fois merci à tous et à toutes.

Ani Lodrö Palmo

RESSOURCES UTILES

Shambhala au Québec

Centre Shambhala de Montréal
1260, rue Sainte-Catherine Est, bureau 203
Montréal (Québec) H2L 2H2
Téléphone : 514 397-0115
Internet : www.montreal.shambhala.org

Groupe Shambhala de Québec
www.facebook.com/shambhalaquebec
Courriel : shambhalaquebec@gmail.com

Sites Internet

Sakyong Mipham Rinpoché
www.sakyong.com

Ani Pema Chödron
www.pemachodronfoundation.org

Ani Lodrö Palmo
www.anilodro.com

Abbaye de Gampo
www.gampoabbey.org

Autres renseignements

Shambhala International
www.shambhala.org
Ce site renferme des renseignements sur la vision de
Shambhala et les activités de plus de 100 centres affiliés
dans le monde entier.

Shambhala Sun
www.shambhalasun.com
Le *Shambhala Sun* est un magazine bouddhiste bimestriel
fondé par feu Chögyam Trungpa Rinpoché et dirigé
aujourd'hui par le Sakyong Mipham Rinpoché.